池上彰の宗教がわかれば世界が見える

池上 彰

文春新書
814

池上　彰の宗教がわかれば世界が見える◉目次

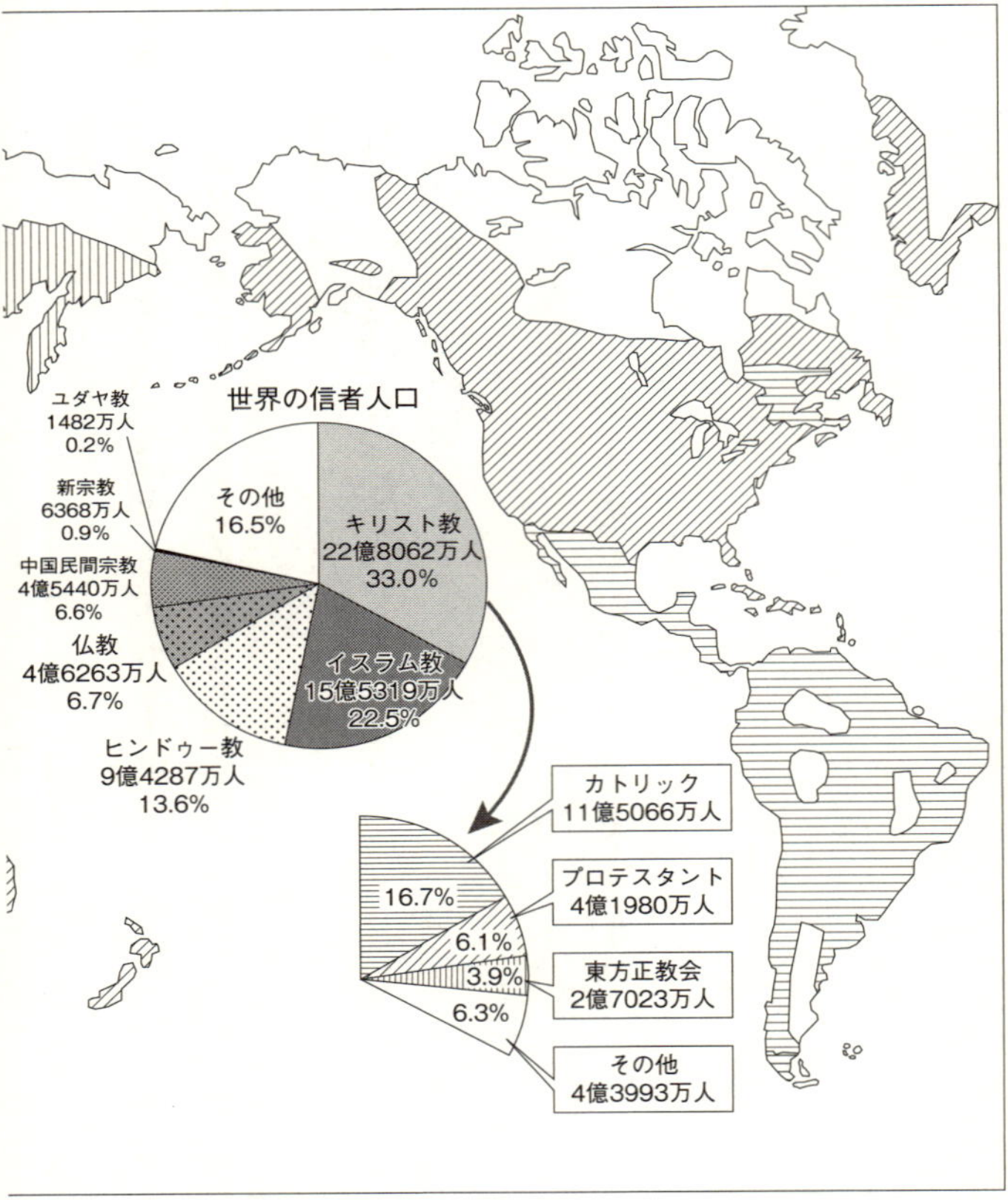

スラム世界の「大疑問」』講談社＋α新書、『ブリタニカ国際年鑑 2011』より作成

■世界の宗教分布マップ

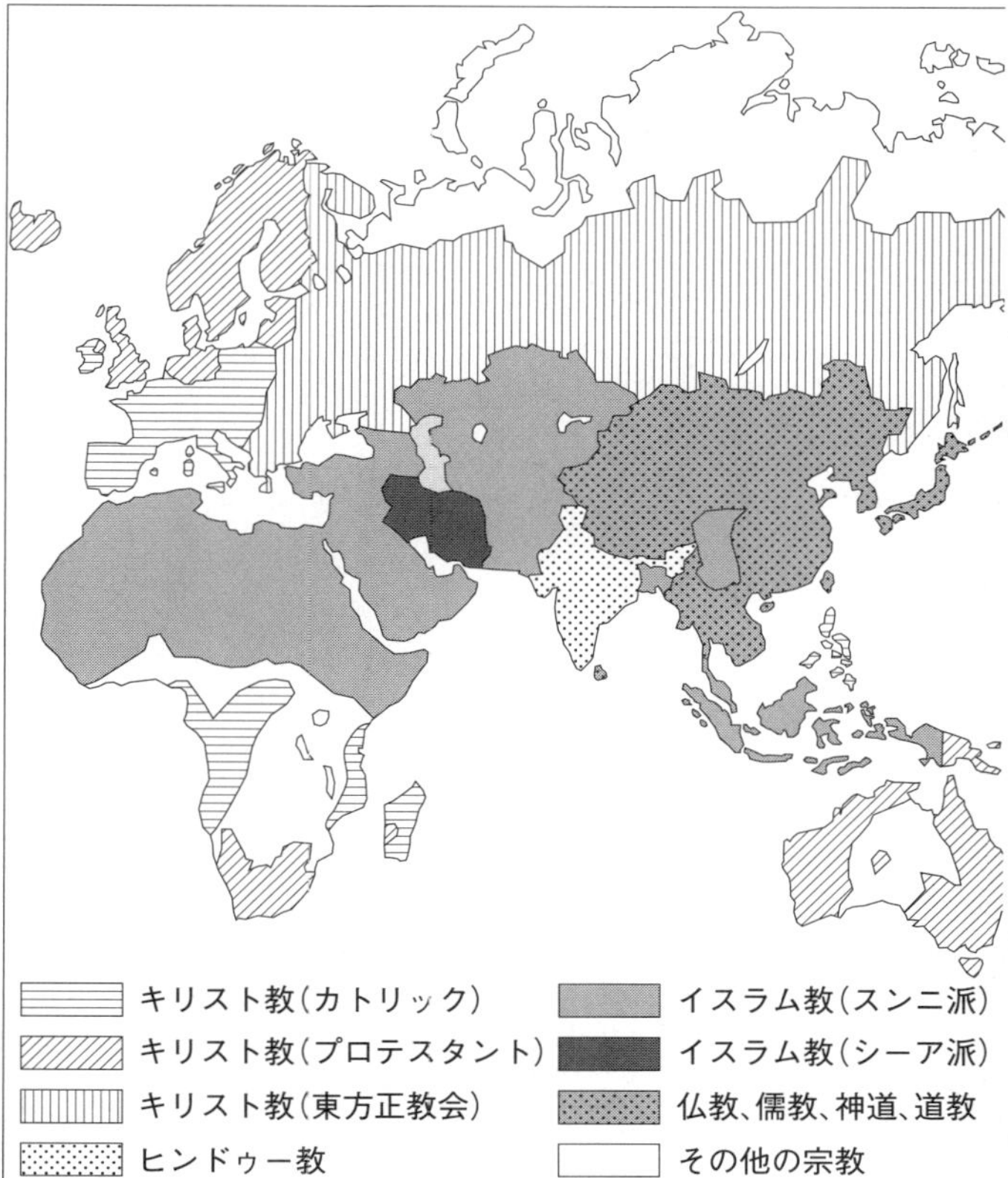

池上彰『大人も子どももわかるイ

第1章　宗教で読み解く「日本と世界のこれから」

～東日本大震災・ビンラディン殺害・中東革命

いま、宗教についての関心が高まっています。書店に行くと、宗教についての書籍や、雑誌の特集をよく見かけます。

いったい、なぜでしょうか。

ひとつには、団塊の世代が、いよいよ身近に「死」の準備をする時期になったと感じ始めたからでしょう。

自分や配偶者の親を見送り、友人や先輩の葬式などが増えるうち、「そろそろ自分たちの番かなあ」と思うようになってきた。まだ少しは時間があるだろうと考えつつも、自分の最期の迎え方や、葬式や墓をどうするか気になり出したのです。そうして死の意味を真剣に考えるとき、宗教に関心を持つのは自然なことでしょう。

養老孟司さんがおっしゃるように、私たちは「致死率一〇〇%」なのですから。

団塊の世代のすぐ下に生まれた私も昨年還暦を迎え、これからのことを意識するようになりました。つねに戦後の社会を大きく変えてきた団塊の世代。最大の人口をもつこの世代の動向が、宗教ブームの一因といえそうです。

瀬戸内寂聴さんとお会いしたとき、出家を決意されたのは五十一歳だったとうかがいました。そのくらいの歳頃になると、人間はなにかしら宗教的なことを考えるようになるものだとも言えそうです。

仕事に夢中になっていた若い頃はともかく、リタイアして時間がたっぷり生まれれば、死について考える時間も豊富にあります。

そんなときに、『葬式は、要らない』という本が話題になれば、心が乱される人もいることでしょう。葬式ビジネスに乗り出すスーパーもあり、不透明だった戒名料を〝明朗会計〟にすると、仏教界から大反発が起こります。そもそも戒名とは何か、戒名料は必要なのか、考えてみると不思議なことがたくさんあります。こうした素朴な疑問を、専門家に聞いてみたいと考えました。

さらには若者たちの間にも、スピリチュアルブームが起きたり、パワースポットめぐりが流行になったり、という不思議な現象があります。つまり老いも若きも、宗教的なものへの関心は高いのです。

東日本大震災と「無常」

二〇一一年三月十一日。日本人は、否応なしに「死」と向き合う時代を迎えてしまいました。東日本大震災により一瞬にして多くの命が失われたさまを見ると、「無常」という言葉を想起します。命の儚《はかな》さ。いや、だからこそ、命の大切さを思うのです。

日本人は、昔から大きな災害を何度もくぐりぬけてきました。それによって「無常観」を育んできました。「行く河の流れは絶えずして、しかももとの水にあらず」。鴨長明の『方丈記』に記された有名な冒頭の一文です。鎌倉時代はじめのこの書で、鴨長明は大地震や大火などの生々しい記憶を記して、世の無常を説きました。平安時代を代表する文学である紫式部の『源氏物語』も、全編が無常観に彩られています。

私たちの祖先は、はるか昔から何度もさまざまな災害に遇っては、そのたびに世の無常を強く意識してきたのです。愛する人が亡くなる。二度と会えない。どんなにいい人でも一瞬で命を失う。そのような現実にぶつかっては、理不尽な自然の仕打ちに涙する思いをしてきたのです。

今回の震災も、そうでした。おおぜいの何の罪もない人たちが、ましてや、いたいけな子どもたちが、いったいどうして、あれほど犠牲になったのか。いても立ってもいられない気持ちになります。

被災地で私は、本当に言葉を失いました。

何にも残っていないのです。

津波に襲われた仙台市若林区の荒浜地区で見た光景は、今も目に焼き付いています。家屋のコンクリートの土台だけがきれいに全部残っていて、その上にあった木造の家は跡形もなくなっていました。何十メートルも先に、その家の残骸が流されているのです。何と言っていいかわからないほどの衝撃を覚えました。

宮城県の石巻市では、津波がきたときに二階、三階へと逃げて、なんとか生き延びたという人にインタビューしました。その人は二階から、目の前を近所の知り合いが流されていくのを見たといいます。「助けてくれ」と言いながら津波に流されていった。抽象的な〝人間〟ではなく、よく知っている人がです。それを見ていながら、何もできない。どうすることもできない。

あまりにもつらい体験です。

今回の震災では、このような悲劇が、いっせいに何万件も起きたのです。

体験者にとっては、とても容易に納得できることではありません。それこそ「神も仏もあるものか」と叫んだことでしょう。

しかし一方では、人は何かに救いを求めずにはいられない。ふだんは信仰がなくても、思わず「神様、助けて！」と祈った人も多かったでしょう。こういうとき、やはり宗教にすがりたくなるのではないでしょうか。

「現世ではつらい人生だったけれど、きっと来世では報われるはずだ」

そうでも考えないと、いたたまれない。これは人の自然な感情でしょう。災難に遇うことの多かった歴史のなかで、日本人は、現世を無常と感じるとともに、信心によって辻褄を合わせたい、帳尻を合わせたいという思いをも持ったはずです。

誰もが、自分のこの生と死を納得したいのです。

いまこそ伝統宗教の出番だ

いいえ、なにも、災害時に限りません。

本当にいい人なのに不遇であるという方は大勢います。いい人であるが故に不遇になるのかもしれませんが、苦労して、結局、報われずに亡くなっていく人たちがいる。その一方で、本当に悪いやつが羽振りをきかせている。

そんな残酷な現実に対して、「こんなことがあっていいわけがない。いい人たちは、来世では幸せになるだろう。悪いやつは来世では地獄に落ちるだろう」と思う。少なくとも、そう信じることによって、心が落ち着く。

このような心の働きから、宗教が育っていくのだと思います。

人々は、なぜ宗教を求めるか。

結局は、心の安寧を求めているのです。

それに応えることが宗教の役割だった。理不尽な世界に生きる人間の心に安寧や平穏を与え、納得させる。それが宗教の始まりであり、変わらぬ役割であろうと思います。

身近に「死」を迎える世代が増えて、ただでさえ宗教への関心が高まっていたなかで、これほど悲痛に満ちた大災害が起こったのですから、これからはますます宗教が求められるようになっていくにちがいありません。

一九九五年一月に阪神大震災が起きたあと、三月にオウム真理教による地下鉄サリン事件が起こったことも思い出されます。きっと今後も、新たな宗教がどっと出てくることでしょう。

かつてオウムは、「阪神大震災は地震兵器の攻撃だった」と言いました。今回もインターネット上で、この震災は地震兵器によって起こされたものだという噂が流れました。

そこには「こんなひどいことがあっていいわけはない。誰か悪巧みしているやつがいるにちがいない」と思いたい気持ちがあるようです。何者かの陰謀によって引き起こされたのだと解釈することで、現実の理不尽さが、なるほど仕方がないと腑に落ちる。宗教に救いを求める気持ちに近いものがあります。

そこで思い出されるのが、オウム事件のときによく言われたことです。

「伝統宗教は、いったい何をしていたのか。伝統宗教が頼りないから、若者たちがみんなオウムのような危険な新興宗教に流れたのではないか」

こうした伝統宗教に対する批判が多く聞かれました。

東日本大震災を経て、再び同じような事態になる可能性はあります。だから、今度こそ伝統宗教には頑張ってほしいと思います。

いまも苦しんでいる人が大勢います。被災者ばかりではありません。被災地に出動した警察官や消防士、海上保安官、自衛隊員にも、精神的に参っている人たちがいます。

私は、いまこそ、これまでの長い伝統をもつさまざまな宗教家、宗教組織の出番だろうと思うのです。人の心を癒し、救い、安寧を与えるという、宗教の本来の役目を果たすときです。

「伝統宗教の宗教者よ、今こそ頑張れ」と言いたいのです。

ビンラディン殺害を宗教から読む

国際ニュースには、宗教が背後にからむ問題がたくさん出てきます。

たとえば激動の続いている中東情勢は、イスラム教について知らないと理解できません。アメリカの政治についても、アメリカが強烈な宗教国家だとわかっていないと理解できないことがいろいろとあります。

こうした世界の状況をわかりたいという欲求の高まりも、多くの人が宗教のことを考えなければいけないと思うようになってきた一因でしょう。

まさに、「宗教がわかれば世界が見える」のです。

二〇一一年五月には、オサマ・ビンラディン容疑者の殺害作戦が成功したとオバマ米大統領が発表しました。二〇〇一年の9・11アメリカ同時多発テロ事件以来のアルカイダとの戦いに一応の終止符が打たれたわけですが、すぐにパキスタンで大規模なテロが起きるなど、今後も報復への警戒が強まっています。

これも自爆テロを「聖戦（ジハード）」と呼ぶイスラム原理主義過激派の考えを知ることで、見えてくるものがあるのです。

そもそも、オサマという名前もイスラム教に由来しています。預言者ムハンマドに付き添った弟子のひとり、オサマ・ビン・ゼイド。きっとオサマの父親は、ムハンマドと共にイスラム共同体の建設にかかわったこの人物のようになってほしい、という願いをこめて命名したのでしょう。

シー・シェパードはイエス・キリスト？

宗教がわかると海外ニュースが読み解ける例には、こんなものもあります。

捕鯨船に過激な攻撃を加えたことで知られる環境保護団体の「シー・シェパード」です。この団体がキリスト教をバックボーンに持っていることは、その名前を聞いただけでわかります。

シェパードは、牧羊犬です。キリスト教徒なら、牧羊といえば即座にイエス・キリストのことと理解されるのです。

『新約聖書』に、牧童の譬《たと》えがあります。百頭の羊を守っている牧童は、一頭の羊が迷ったら、残り九十九頭を置いても、その迷っている一頭の羊を助けようとする。それがイエスである。そのように、イエスが教えのなかで自分を牧童に譬えているのです。牧師の「牧」とは、この牧羊の「牧」です。

ですからキリスト教圏の人ならば、シェパードと聞いた途端に、迷える者、弱い者を助けるイエス・キリストに自らをなぞらえているということがわかります。

日本人からみると、捕鯨船を攻撃したりする乱暴な団体だから、警察犬にもなるシェパードのような怖い犬なのかなと連想してしまいますが、彼らの意図、そして欧米人の受けとめ方は違います。

シー・シェパードとは、つまり海の牧羊犬。弱い立場にある海洋生物を助けるイエス・キリストに自らをなぞらえ、正当化のために印象づけているのです。

日本人は無宗教なのか？

日本では、子どもが生まれたら神社にお宮参りをします。七五三も神社です。しかし結婚式は教会で挙げて、葬式はお寺でということが、当たり前に行われています。これはいったい、なんなのだろう。

宗教への関心は高いにもかかわらず、「あなたの信仰は何ですか？」と問われたとき、日本人の多くが「無宗教です」と答えるだろうことも間違いありません。

いったい日本人の宗教観は、どうなっているのでしょうか。

中東に行くと、敬虔なイスラム教徒が大勢います。みんな、一日に五回のお祈りを欠かしません。ヨーロッパにいけば、教会を中心にして広場があり、そこを起点として街ができあがっています。

東欧に行くと、カトリックとプロテスタントそれぞれの教会、そして東方正教会の教会、さらにイスラムのモスクもあります。旧ユー

Q エルサレム

エルサレムは、ユダヤ教・キリスト教・イスラム教の三つの宗教の聖地です。もとは古代イスラエルのユダ王国の首都で、エルサレム神殿がありました。

今も残る「嘆きの壁」は、ローマ帝国が紀元七〇年に破壊したエルサレム神殿の外壁の一部で、ユダヤ教徒が祈りを捧げます。

また、イエス・キリストが処刑され、復活した聖地でもあり、十字架にかけられた「ゴルゴタの丘」には「聖墳墓教会」が建っています。イスラム教では、ムハンマドがメッカから一夜のうちにエルサレム神殿まで旅をし、「聖なる岩」をさわって天馬に乗って昇天し、神に会ったとされます。ここも聖地として、金の丸屋根で覆った「岩のドーム」が築かれているのです。

ゴスラビアのサラエボなどは、まさにそうです。カトリックと正教会とモスクが一望の下にあって、それぞれに敬虔な人たちが集っている。サラエボでは地元の人に「ここはヨーロッパのエルサレムなんだよ」と言われて、なるほどと思ったものでした。

世界を回ると、ほとんどの国で、敬虔な信仰を持った人たちを見ることができます。ですから私はつい、「それにひきかえ日本人は、どうなっているのか」と思わずにいられませんでした。無宗教なのか、あるいは本当に融通無碍なのかと、ずっと不思議に思っていたのです。

しかし、本書のために仏教、神道、キリスト教、イスラム教と、宗教家や宗教の専門家にインタビューを重ねるなかで、「あ、なるほど」と納得しました。

日本人はけっして、単なる無宗教ではなかったのです。

日本人は、日本人なりの宗教観、あるいは超自然的なものに対する畏れのような宗教意識を、実はしっかりと持っているのです。

そう気づくと、腑に落ちることがいろいろとあります。

たとえば昔はよく、酔っぱらった人が立ち小便しやすい塀に、鳥居が描いてあったものでした。立ちション対策です。鳥居を描かれると、なぜだか立ちションができなくなる。

そんなところにも、日本人の宗教観を見ることができます。

日本人は、神社でも、お寺でも、教会でも、その施設を蹴飛ばしたり貶めたりするようなことはしません。自分がどのような宗教を信じているかとは無関係にです。イスラム教にはピンとこなくても、モスクに土足で入ろうなどとは思わない。誰かが神聖な場所と思っているならば、そこは大切にしなければと思うものです。

モスクのなかには異教徒でも入れるところもありますので、イスラム教徒ではない私も幾度となく入ったことがあります。中東の暑い気候のなかでも、モスクに入ると、風通しがよく、ひんやりとしています。そこにゆっくり座っていると、なんとなく敬虔な気持ちになってきます。神社やお寺、あるいは教会でしばらく座っているときと同じように、敬虔な、心が洗われるような気持ちになってくるのです。

それが日本人独特の宗教感覚であるようです。日本人の多くは、一神教徒ではないし、ある宗教以外は認めないという排他的な思いを持ってはいない。しかし、広く神仏を信じる気持ちは強く持っているのです。今回、皆さんからお話を聞いて、そのことに改めて気付きました。

『コーラン』焼き捨て事件

こうした日本人の宗教観は、海外の一神教の人たちからは違和感をもたれるものかもしれません。しかし私は、これはこれで実はすばらしい宗教観ではないかと思います。

特にそう思わされる事件がありました。

二〇一一年三月、アメリカのある牧師が、『コーラン』を焼き捨て、その映像をネットで公開したのです。イスラム教に対する死刑判決というような意図だったようです。アフガニスタンでは、このことへの抗議から暴動に発展。国連事務所が襲われて、大勢の人が殺されてしまいました。アメリカがやっとの思いでアフガニスタンを安定化しつつあったのが、これで一挙に崩れてしまったのです。

一人の牧師の無分別な『コーラン』焼き捨てによって、アメリカのアフガニスタン政策が一挙に大失敗に終わるかもしれないという、とんでもないことが起きているわけです。それでも、その牧師は「責任を感じていない」と言っています。

ほかの宗教を信じている人に敬意を払うという態度がないと、このようなひどい事態になることもあるのです。

二〇一一年二月にムバラク大統領の独裁政権を追いだしたエジプトでも、イスラムの信仰心が高まる中、国内にいるコプト教というキリスト教徒に対する迫害が起きました。

本当に情けない、悲しいことだと思います。ほかの人が自分とは違う宗教を信じていることを、それはそれで尊重するということが、なぜできないのだろうと思わざるをえません。

幸い、日本人には、それができます。自分が信じていない宗教にも敬意を払うことができるのです。ですから、宗教がらみの紛争の仲介役に入るなど、国際社会への貢献ができるのではないかと思います。

宗教から気候風土が見える

世界にはいろいろな宗教があります。どの宗教にも、それぞれの土地の気候風土が反映しているのではないでしょうか。

たとえば中東の砂漠地帯では、人間は本当に無力な存在で、ちょっとした砂嵐に巻き込まれただけで、あっという間に死んでしまいます。大自然の恐ろしさを、ひしひしと感じさせる風土です。それほどに厳しい中でとりあえず生かされているという実感が、人間は神の怒りに触れるとあっけなく死んでしまうという『旧約聖書』の世界と、とても通じ合っています。

イスラム教もそうですが、神様によってすべてが創られているとする一神教の厳しさは、あの砂漠の中だからこそ生まれ、育ってきたものでしょう。

それは、天国のイメージについても言えます。

『コーラン』には、天国についての描写が何度も登場します。清らかな泉があり、清らかな川が流れていて、涼しい木陰があって、木の実がいっぱいとれて、ブドウが食べ放題、鶏肉が食べ放題、という世界です。

まさに砂漠で生まれ育った人にとっての天国のイメージですね。日本のように、現実にも水が豊かで、木陰がそこらじゅうにあって、

Q 旧約聖書・新約聖書

『旧約聖書』と呼ばれている書は、ユダヤ教徒にとって唯一の『聖書』です。ですから、けっして『旧約聖書』とは言いません。それはキリスト教徒からの呼び方なのです。

キリスト教徒は、神の子キリストがこの世に神から遣わされたことによって、人間は新しく神との契約、つまり約束を結んだと信じています。

そこでキリストについて書かれた『聖書』を、新しい約束の『聖書』、すなわち『新約聖書』と呼びました。すると、キリスト以前に人間が神と結んだ契約は古い約束になるので、それを『旧約聖書』と呼んだのです。

キリスト教徒は『旧約聖書』と『新約聖書』の両方を信じています。

木の実がなっているところでは、当たり前すぎて絶対に出てこない天国のイメージです。

では、輪廻転生《りんねてんしょう》という発想はどうでしょうか。

輪廻の思想は、バラモン教から、ヒンドゥー教や仏教へ伝えられました。つまり、インドやネパールで生まれた概念です。

熱帯のインドでは、人間を含めた生き物はあっという間に死ぬけれども、次々に新しい生命が生まれてもきます。豊饒な、ものすごい生命力です。いろいろな生命が、いとも簡単に死んでしまうけれど、またすぐに新しく生まれかわる。そのように実感される世界です。

輪廻転生とは、そのような熱帯の自然の中から生まれた思想なのではないでしょうか。

このように世界の宗教は、それぞれの風土のもとで、その風土に似つかわしい特徴をもって生まれてきました。

日本のように豊かな自然があり、湧き水が流れ、緑が育ち、いろいろなところに生命が生まれてくるという土地では、水にも木にも石にも、いたるところに神様がいることになります。それが神道の八百万《やおよろず》の神々になってくる。

インドシナでは精霊のことをピーと言います。ジャングルの中のいろいろなところにピーがいるとされ、それに対する信仰心があります。ヒンドゥー教でもたくさんの神様がいます。それは日本の神々のありかたとよく似ています。だからこそヒンドゥーを源流とする仏教が古代の日本に入ってくると、神道と混じりあうことができたのでしょう。

世界の国々はみな宗教国家

現代国家も、宗教と無関係ではありません。それどころか、ほとんどの国はいまも宗教国家だと言ってもいいくらいです。

たとえばアメリカでは、大統領は就任式で、左手を聖書に置いて宣誓します。神に誓うわけです。

日本では、総理大臣に選ばれても、神様には誓いません。仏様にも誓いません。ただし天皇陛下から任命されます。いまは天皇陛下は現人神ではありませんから、神様からというわけではありませんが、普通の人ではない人から任命されるという仕組みが、日本にもあるということです。

ヨーロッパ諸国は、西欧も東欧も、みな宗教国家です。神様がいること、国民が神様を信じていることを前提として、国家が成り立っています。生まれた子どもの多くは、幼児洗礼を受けます。

　以前に東欧で東方正教会の教会を訪れたときに、たまたま幼児洗礼をするところに出くわしたことがあります。まだ産湯につかって間もないような子どもが連れてこられて、ワアワア泣き叫びながら洗礼を受けていました。まるで、日本のお宮参りのようだと思いました。世界のどこでも同じようなことをやっているものだなと思ったものです。

　イランに行ったときにも驚きました。イランで信仰されているのは、イスラム教のシーア派です。シーア派では、多数派のスンニ派とは違い、モスク以外に、聖廟《せいびょう》へのお参りを重視します。聖廟とは、かつての聖人のお墓です。

Q シーア派とスンニ派

　イスラム教は、いくつもの派に分かれていますが、大きくはスンニ派（スンナ派ともいいます）とシーア派の二つがあります。

　スンニ派は、多数派です。多くのイスラム教徒がスンニ派に属しています。スンニとは、慣習や伝統を意味しますので、代々伝えられてきた伝統を守る人々ということになります。

　一方のシーア派は、おもにイランやイラクに信者がいます。ほかの国では少数派にとどまっています。シーア派は、ムハンマドのいとこで娘婿のアリーこそムハンマドの後継者になるべきだったと主張し、「アリーの党派」と呼ばれました。党派のことをシーアと言い、いつしか、単にシーア派と呼ばれるようになったのです。

◀聖書に手を置き宣誓するオバマ米大統領の就任式

▶天皇陛下から任命される菅直人総理大臣

◀集団洗礼式。グルジアの東方正教会の教会にて

たとえば、イランのイスラム革命をなしとげたホメイニ師の聖廟があります。モスクの横にホメイニの柩《ひつぎ》があり、そこがホメイニ廟になっているのです。多くの人がお参りにきます。イスラムでは本来は神様だけにお祈りをするはずなのですが、わざわざ廟にお参りにきて、聖人に願をかけているのです。願をかける人は、願いを書いた紙をネットのようなところに入れていきます。

その様子は、日本の寺社で絵馬を奉納したりおみくじを引いたりする参詣者たちの姿と、見た目はそっくりなのです。そればかりか、願いが叶うと、御礼参りにくるのも同じです。教義や信仰対象がどんなに違っていても、そういう形の部分では、まったく日本と同じに見えるところがあるのです。

もう一つ似ているものを挙げてみます。

ホメイニがずっと研究生活をしていたゴムという宗教都市の光景です。ゴムには巨大なモスクがあり、イラン全土から巡礼にやってくるので、巡礼者を泊める宿がたくさんあります。宿の一階は宗教用具を売る店になっていて、『コーラン』や数珠、そのほかいろいろなお参りのグッズが、ずらっと並んでいます。

これはもう、日本のお寺の門前町の風景そのものですね。

きっと、信じる行為はどこでも似たような形になっていくものなのでしょう。宗教には、なにかしら共通する意識の構造があるようです。

共産主義も宗教国家？

宗教に対する共通した意識構造。それは宗教を否定したはずの社会主義国家にも言えることです。

社会主義国家といえども、やはり宗教国家なのです。

かつての社会主義革命も、たとえばロシア革命は、皇帝を廃して、レーニン、スターリンの共産党がとって代わって皇帝の座についたというだけのことでした。特に地方では顕

> **Q 共産主義と宗教**
>
> 資本主義を厳しく批判したカール・マルクスは、「宗教はアヘンだ」と言いました。アヘンとは麻薬の一種。これを吸うと、人間は気持ちよくなって、ほかのことを考えなくなってしまいます。つまり、虐げられた人々が、宗教を信じることによって、この世界のさまざまな矛盾を解決しようとしなくなり、ひたすら「あの世」に期待するようになるというのです。
>
> そうなると、「この世」の支配者を脅かす改革運動が起こらないので、支配者にとっては好都合です。マルクスは、宗教がそのような役割をはたしている、と批判しました。そのため、マルクスの思想に基づいて国造りをした旧ソ連や中国では、宗教が否定されました。

著です。共産党（当初の名称は社会民主労働党）が、それぞれの地方にやってきて、「ここで一番の力を持っているやつは誰だ」と尋ねると、当然、大地主の名前が挙がります。その地主たちを何人か、その場で殺す。それで革命は成就です。これからは共産党が支配するぞというわけです。トップが代わったにすぎません。

精神構造は何も変わっていなかったのです。ですから、ロシア正教は生き延びました。ソ連が崩壊したあとになって、ゴルバチョフは実は幼児洗礼を受けていたと告白しています。共産党の幹部たちも、みんな正教会に通い出しました。いったいどこが唯物論の国だったのかという話です。

ソ連の一部だったタジク共和国、カザフ共和国でも、独立してタジキスタン、カザフスタンになった途端に、それまで影を潜めていたイスラム教が一挙に表に出てきました。ソ連は、共産党政権のもと、表向きは無宗教と言っていましたが、内実はけっしてそうではなかったのです。

中国はなぜ宗教を弾圧するのか

中国でも同じです。

儒教や道教の教えが、〝共産主義教〟というものに代わったにすぎません。中国共産党が国家を支配してからも、やはりそれぞれの宗教は残っていました。

さらにいえば、一九六五年から猛威をふるった文化大革命での人民のふるまいは、じつに宗教的でした。誰もが手に手に『毛沢東語録』を掲げて叫びを上げていたのです。それはイスラム教徒が『コーラン』を掲げるのと、精神構造は変わらないでしょう。

イスラムの人たちが『コーラン』をひたすら読むように、文化大革命の尖兵であった紅衛兵たちは『毛沢東語録』をひたすら読んだのです。学校はすべて閉鎖されました。『毛沢東語録』にはすべての真理が書かれているのだから、これさえ読んでいれば、ほかの勉強は必要ないと言われたものです。

イスラム世界でも、サウジアラビアや、タリバンが支配していた頃のアフガニスタンなど、いくつかの原理主義国家には、『コーラン』にすべて書かれているのだから、ほかのものを読む必要はまったくない、とする文化があります。

精神構造はまるで同じです。

つまり共産主義の中国も、宗教国家なのだと言っていいでしょう。

そのことは現在の中国での宗教政策にもうかがわれます。

中国にはいまローマ法王公認のキリスト教と、中国共産党公認のキリスト教との、二つのキリスト教があります。どちらも基本的な教えは同じです。しかし、ローマ法王公認のキリスト教、すなわちカトリックは「地下教会」です。非合法組織として弾圧され、取り締まりの対象になっているのです。

なぜ中国ではカトリックが弾圧されるのか。

カトリックにおいては、キリストの弟子のトップであるローマ法王が、いちばん偉い人とされているからです。地上の最高位です。ということは、カトリックを信じる人にとって、ローマ法王は共産党より上の存在になってしまいます。それを認めることは、共産党に忠誠を誓わない組織の存在を認めることになります。ですから中国ではカトリックが弾圧されているのです。むろんバチカン市国と中国とは国交を結んでいません。

ただ中国でも、一応は信教の自由を認めざるを得ないために、「神様は信じてもいいけど、地上においては中国共産党の言うことを聞きなさいね」という形で、キリスト教を容認しています。それが中国共産党公認のキリスト教というわけです。

つまり、共産党の権威は、ローマ法王という宗教的な権威と対立すると考えられています。逆にいえば、すなわち中国が〝共産党教〟を国教とする宗教国家なのだということにほかなりません。

宗教大国アメリカ

これとまったく同じ現象が、アメリカでも見られます。

アメリカでは、カトリックの信徒は大統領になれないと言われていたのです。

一九六〇年にケネディが大統領選挙に出たときのことです。ケネディはカトリックの信者でした。そのため保守系のプロテスタントの聖職者たちを中心として、「ホワイトハウスがバチカンに支配される」と訴えるネガティブ・キャンペーンが繰り広げられました。カトリック教徒はローマ法王の命令を聞かなければいけないから、もしケネディが大統領

Q キリスト教はどう違う？

西暦三九五年にローマ帝国が東西に分裂すると、二つのローマ帝国の影響下に分かれたキリスト教会にも少しずつ違いが生まれ、一〇五四年に分裂しました。西がローマ・カトリック教会、東が東方正教会（ギリシア正教会ともいいます）です。

さらにローマ・カトリック教会からは、十六世紀になって、プロテスタントが分かれました。カトリック教会の資金集めの方法などを批判した人々が破門されて別の教会を作ったのです。プロテスタントはさらに数多くの宗派に分かれました。カトリックが、ローマ法王のもと、縦のひとつの系列にまとまっているのに対して、プロテスタントにはそのような上下関係はありません。

になったら、ローマ法王の傀儡《かいらい》になるだろうという危惧がとりざたされたのです。

そこでケネディは、「自分の信仰と国家への忠誠は別だ」と宣言しました。「私はカトリックであるけれども、アメリカのために尽くします。国家においては他国の指示は受けません」と、彼なりの政教分離を宣言したのです。

アメリカではいまでも、カトリックの大統領候補が出てくると、「おまえはどっちに忠誠を誓うのか」と、ローマ法王との関係が問われます。重大問題なのです。

そこは日本とは大違いです。

日本では、総理大臣がどんな宗教であろうと、まるで気にされません。

麻生太郎元総理はカトリックですが、「お前はローマ法王の言うことを聞くのか、天皇の下で日本の国民のために尽くすのか」と、問われることはありませんでした。カトリックであることが話題になることさえありませんでした。しかしドイツの新聞では、日本にカトリックの総理大臣が誕生したと報道されていたのです。

大平正芳元総理はプロテスタントでしたが、総理に就任したとき、正月に伊勢神宮に参拝するのかどうか問題にされたことがありました。新聞記者が、「あなたはキリスト教徒ですけど、伊勢神宮の参拝は問題にならないですか」と聞いたのです。すると大平総理は

「うーん、それは問題だわなあ」と答えました。「アー、ウー」で知られた大平さんらしいとは言えますが、なんとも深刻さの感じられない答えです。大平さんは家では写経をしていたという話もありますし、金光教のお言葉をいつも手帖に書いて持っていたともいわれています。非常に日本的ですね。

いまも総理大臣の宗教が問題になることはありませんし、たとえカトリックだったとしても、ローマ法王との関係はどうなのかと突き詰めて考えられることもありません。

一見、宗教にまるで無関心な態度です。しかし、実はそうではなくて、他人がどの宗教であろうと問題にしていないだけのことです。別になんでもいいじゃないか、と思っている。アメリカの場合はそうはいかず、アメリカのために尽くすのか、他国のトップの命令を聞くのか、という厳しい話になるわけです。

それは中国と同じく、アメリカがやはり宗教国家だからこそ、重大な問題になるのです。ただしアメリカの場合は、強烈なキリスト教国家です。そのことを次に見てみましょう。

一ドル紙幣にも神の名が

アメリカの首都ワシントンＤＣには、独立宣言の文章を起草した第三代大統領、トーマス・ジェファソンの記念館があります。そこには、高さ五・八メートルものジェファソン像があります。政治家がそこまでまつりあげられるということは、日本では考えられません。日本のように昔からの神話があり、イザナギ・イザナミの国作りが伝えられてきた国とは違って、アメリカは新しく作られた国ですから、建国神話が必要なのですね。

その記念館は、さしずめ神殿と言ってもいいものです。その神殿の壁面には、ジェファソンが草した独立宣言の一部が記されています。

独立宣言には、「ALL MEN ARE CREATED EQUAL（人間たちは平等に作られている）」という文章があり、作ったのは「CREATOR」だとされています。創造者、すなわち神のことです。

また、一ドル紙幣を見れば、「IN GOD WE TRUST」と書いてあります。普通の英語の構文にすれば「WE TRUST IN GOD」ですが、それをひっくり返して、少し気取った言い方にしたものです。「私たちは神を信じている」と、お札にわざわざ書いてあるのが、アメリカという国なのです。

アメリカは、もともとヨーロッパ、とりわけイギリスから新天地を求めてやってきたキリスト教徒たちがつくった国です。みながキリスト教徒であることを前提としてできた国

■アメリカのドルにも神の名が

■キリスト教原理主義者が多い「バイブルベルト」

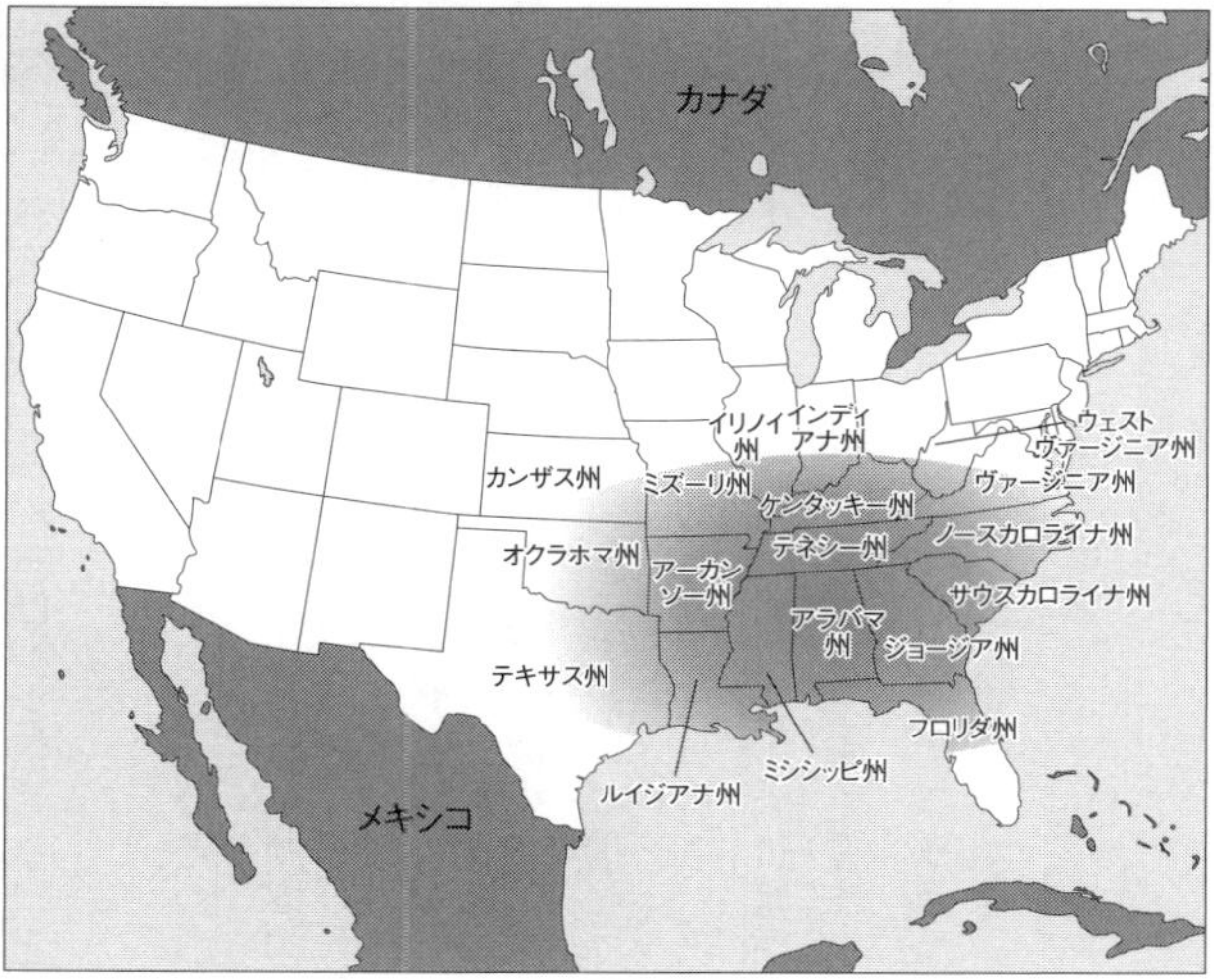

家です。ですから、大統領は聖書に手を置いて誓い、お札には「私たちは神を信じる」と書いてあるのです。

もし日本でそんなことをしたら、いろいろな宗教を信じている人がいるのに、ひとつの宗教を押しつけるとはけしからんと、大騒ぎになるのではないでしょうか。しかしアメリカでは、問題になりません。国民みなが神様を信じていることを前提にしてできている国家だからです。アメリカというのは、たいへんな宗教国家なのです。

二〇一一年四月に放送したテレビ東京系の番組『池上彰の世界を見に行く』の中で、アメリカの首都、ワシントンDCで街頭インタビューしたところ、九〇%の人が神を信じていると答えました。さらに聖書の言葉を一言一句、信じているという人が、三四%もいたのです。信仰にはそれほど篤くないといわれる都会ですら、この結果です。日本人には信じがたい数字ではないでしょうか。一九九八年に行われた国際比較調査でも、神を信じる人の割合は、アメリカがヨーロッパ諸国を大きく引き離していました。それがアメリカなのです。

アメリカのユダヤ人

ただし、米ドル札やコインの裏にある「GOD」が、キリスト教の神であるとは明言されていません。移民国家であるアメリカは、多様な宗教を平等に受け入れるという建前があります。なによりも、アメリカ国内にいるユダヤ教の人々への配慮があるからです。イエス・キリストについて語ると、ユダヤ教を排除することになる。彼らの影響力はとても大きいのです。

アメリカの一大産業であるハリウッド映画。その製作者や俳優にユダヤ人が多いことはよく知られています。スピルバーグ、キューブリック、ウディ・アレンもそうですし、20世紀FOXやパラマウント、ユニバーサルなど映画会社の創業者もユダヤ人です。彼らの多くは東欧で迫害され、アメリカに移民してきたユダヤ人です。キリスト教国家では、当時の主流の産業で働くことができませんでした。そのため、能力を発揮する場所として、新しい産業であったハリウッド映画界に集まったという歴史があります。

一方で、ウォール街に代表される金融業にも成功しているユダヤ人が多くいます。もとはといえば、ヨーロッパで迫害されていたユダヤ人たちが、当時は卑しい職業とされた金融業についたのが始まりです。シェイクスピアが描いた金貸しのシャイロックがその典型です。金貸しとして成功をおさめればおさめるほど、嫌われてしまう、当時のユダヤ人にたいする差別意識が出ています。

ユダヤ系の金融業者としては、ゴールドマン・サックス、あるいは、「リーマンショック」の引き金となったリーマン・ブラザーズがあります。

リーマン・ブラザーズには、日本にも関係のある面白い話があります。

日露戦争のとき、まだ貧乏国だった日本はどうにか戦費を調達しようと、巨額の国債を発行しました。それを売りさばいてくれたのが、リーマン・ブラザーズの前身であるシフ商会だったのです。いったい、なぜでしょうか。

当時、ロシアでユダヤ人に対する迫害が続いていました。それを止めるために日本がロシアをやっつけてくれればいいと考え、ユダヤ人が応援してくれたというわけです。

少し話がそれましたが、『坂の上の雲』の時代の国際情勢にも、宗教が重要な役割を果していたことがわかりますね。

人間と恐竜は共存していた!?

アメリカには、進化論を信じない人が大勢います。聖書と矛盾しているからです。

進化論は、人類について、四百四十万年前に猿人が現れ、五十万年前に原人、三万年前に新人と進化してきたと説いています。

しかし聖書を信じる人は、そんなことはありえないと考えます。聖書には、神様が自らの姿に似せて人間をおつくりになったと書いてあるからです。

そのように聖書に書かれていることがすべて真実だと信じている人たちのことを、「キリスト教原理主義者」という言い方をすることがあります。原理主義というと、イスラム原理主義を思いがちですが、もともとキリスト教原理主義者のことを指して呼ぶことから始まった言葉です。

アメリカの中でも原理主義者の多い南部をバイブルベルト（聖書地帯）といいます。そのひとつであるケンタッキー州に、「天地創造博物館（CREATION MUSEUM）」という施設があります。「アンサーズ・イン・ジェネシス」という、会員数三十万人をこえる原理主義的なキリスト教団体が総工費三十一億円をかけて作った博物館です。

さきほど紹介したテレビ番組のロケで、その博物館を取材しました。

そこは名前の通り、神様によって世界が創造されたことを〝証明する〟博物館です。

たとえば、人間と恐竜とが共存していた様子が模型で示されています。私たちの常識からみると驚きですよね。

科学の世界では恐竜は六千五百万年前に絶滅したと言われています。しかし聖書に出てくる事実関係をすべて計算すると、神によって世界が創られてから、まだ六千年しか経っていないことになるそうです。つまり宇宙が誕生してから六千年しか経っておらず、全ての生き物は神様がおつくりになったのですから、人間と恐竜とは一緒に暮らしていたはずだと考えられているのです。

大自然の驚異といわれるアリゾナ州のグランドキャニオンについても、聖書に従った解説がありました。

私たちが勉強した地質学では、グランドキャニオンは、何万年もかけて、氷河によって山が削り取られ、コロラド河が浸食して、大きな谷が出来たとされています。

しかし聖書では、すべての大自然は一日にしてできたことになっています。そこで、火山の大爆発で一夜にして地形が変わることがあるように、グランドキャニオンも神様が一日でつくったのだと、説明されていました。

この博物館では近いうちに実物大のノアの方舟をつくるつもりだそうです。長さがおよそ五百フィート（約百五十メートル）という、大きなものになる予定だとのことでした。

私は、アメリカに聖書の文言を一字一句まで本気で信じている人たちが大勢いることは頭では知っていました。しかし、この博物館へ行ったときには、その人々の存在をひしひしと実感させられたものでした。

同性婚と妊娠中絶への態度が大統領を決める

キリスト教原理主義団体や、そこまでは排他主義的でない聖書信仰の団体までを含めて、福音派、エバンジェリストと言います。アメリカの保守層をなす人々です。

福音派は、アメリカ大統領選挙の行方に大きな影響力を持っています。

アメリカでは、民主党と共和党の二大政党が競い合っていますが、福音派のほとんどが共和党の支持者です。ですから共和党の大統領候補になるには、福音派の支持を得られるかどうかが大きな鍵になるのです。

二〇一一年三月にアイオワ州で開かれた共和党系の集会を取材しました。共和党支持者の人たちが、二〇一二年秋の大統領選の候補者にするには誰がいいかを品定めする集会です。アイオワ州での党員集会は、どの州よりも早く行われるため、その結果が大統領選の流れをつくると言われています。

集会の会場になっていたのは、なんと「POINT OF GRACE CHURCH」という教会でした。アメリカでは、政治的な集会が教会で行われるのは、ごく普通のことなのです。アイオワ州は、白人が多く、信仰に篤い、保守的な価値観を持つ人たちの多い土地柄と言われています。実際、集会に集まった人々は、見事に白人ばかりでした。黒人もヒスパニックもアジア系もいない。まさにホワイトステートです。われわれの取材チームだけがアジア人でした。アメリカとしてはとても異様な感じを覚えました。

主催者である「アイオワ信仰と自由の連合」会長に、キリスト教の団体がこのような集会を催すことの意味について尋ねたところ、かつて同性愛者同士の結婚を認めた最高裁の裁判官三人を追放する運動を行った例をあげて、そのように社会問題に影響を与えることが目的なのだと答えました。

また、集会に参加した地元住民に、候補を選ぶ最大のポイントは何かと尋ねると、妊娠中絶に反対かどうかだと、即答しました。

同性婚と妊娠中絶。

これが最大の争点だと言い切るのが、この集会に集まった人たちなのです。

これは、神様が「産めよ、増やせよ」と命じられたのだから、その命令に反するようなことをしてはいけない、という解釈によっています。

アメリカの大統領選挙では、特に共和党の大統領候補になるには、この同性婚と妊娠中絶という二点についての認識が、踏み絵となるのです。

この二点について、民主党と共和党との違いを大まかに見ると、次のようになります。「妊娠中絶」については、民主党議員にはいろいろな見解がありますが、共和党ではおおむね否定的です。

「同性婚」についても、民主党の中には肯定的な議員もいますが、共和党ではおおむね否定的です。

このように宗教的な考え方が、政治に大きく反映しているのです。

しかし、政治家の態度は一筋縄ではいきません。候補者たちは巧みに言葉を使い分けます。

集会では、前ミネソタ州知事のティム・ポーレンティーが演説して、「私たちは国を助ける力がどこから来るかを知らなければなりません。神の方を向かねばならないのです」と、神という言葉を何度も使い、同性婚は許されないと訴えていました。

ところがその後で、私がインタビューしたときのこと。「先ほどの演説ではしきりに『神』という話をされていましたが、『神』が中心なのですか」と聞くと、ポーレンティーは「いや、そうではない。アメリカの建国の父たちが神を信じ、憲法がつくられた。その憲法を大事にするという意味なんだよ」と答えたのです。見事なものだと思いました。保守派向けの演説では神を強調し、我々に対してはアメリカの一般国民に通じる言い方に変えたのです。

やはり政治家ですね。幅広く支持を集めなければいけないから、場に合わせた言い方をするわけです。

かつて森喜朗元首相も、「日本は神の国」と言って物議を醸したことがありましたが、あれは神道政治連盟の議員たちが集まる会合での発言でした。

選挙になれば政治家は、創価学会と対立する候補であれば、立正佼成会や生長の家などの団体から支持をもらいます。いろいろなところから支持をもらうために、政治家は、それぞれのところで、その場に合わせたことを言うわけです。政治家というのはいずこも同じです。

ハルマゲドンを信じていたレーガン

アメリカでは、二〇一一年の秋から暮れにかけて、大統領候補が次々と名乗りをあげます。翌二〇一二年の一月あたりから、共和党では、アイオワ州での党員集会、ニューハンプシャー州での予備選挙と、大統領候補選びが始まります。そのとき、それぞれの候補者は、福音派の支持を得られるかどうか、しのぎを削っていくことになります。

過去の例でいえば、息子のブッシュは、応援を受けることができました。本気で聖書を全て信じている人でしたから、支持されたのです。そして大統領選に勝つことができた。ところがその後のマケインは、共和党だけれども中道寄りで、妊娠中絶に絶対反対でもなかったために、福音派の応援を得られませんでした。それがマケインが負けた一つの理由だとも言われています。

レーガンも支持を得られた大統領です。レーガンは聖書を信じており、ハルマゲドン（終末戦争）も信じていたようです。ハルマゲドンがくれば、みんな天国に行って救われる。それでレーガンは「核戦争がハルマゲドンかもしれない」と思っていたことが、在任中の日記が公刊されてわかりました。核のボタンを押せる大統領が本気でそう信じていた。もし「核戦争になってもかまわない」と思っていたのだとすれば、実に怖い話です。

それに比べれば、票集めのために、その場に合わせて言葉を変えるような政治家のほうがまだしも安心というものです。

共和党の候補は、福音派の応援をきちんと得られると、とても強い力を発揮します。しかし、あまりにそこに寄りすぎると、一般国民は白けて引いてしまいます。

民主党も共和党も、それぞれの党の中で支持を得るためには、過激な原理主義的な意見を言えば言うほど有利になるのです。共和党であれば、保守にいけばいくほど、共和党の候補者には選ばれる。しかし、国民には引かれてしまう。一九六四年に共和党候補となったバリー・ゴールドウォーターがいい例です。極右とみなされてしまいました。

ですから息子ブッシュは、福音派の応援を得て共和党候補となった後は、「やさしい保守」などと言い出しました。

Q ハルマゲドン

ハルマゲドンは、ヘブライ語で「メギドの丘」の意味とされます。メギドとは北イスラエルの地名で、何度も決戦の地となったために、「最終的な決戦の地」という意味で使われ、さらに「終末戦争」そのものをさす言葉となりました。

聖書の「ヨハネの黙示録」では、世界の終末をなす善と悪との決戦の後、イエスが降臨して、忠実な信徒であった善人のみを救い出し、至福の王国を作るとされています。そこで、世界に終末戦争をもたらせば救世主イエスの降臨をうながせるという考えも生まれます。このような終末思想はカルトにも多く見られ、オウム真理教が地下鉄サリン事件を起こしたのも、ハルマゲドンを現実化しようとしたものでした。

同様に、民主党の中で支持を得ようとするには、左に左にといけばいいのです。しかしそれでは結局、大統領選挙では負けてしまいます。ケリーがそうでした。クリントンは、民主党の大統領候補になった後で、グッと右へ寄せて中道寄りに修正し、うまくいきました。

大統領選に勝ち抜くためには、それぞれの党内で支持を得た後で、政策を中道寄りにもっていく必要があるのです。集会の演説では神様のことを言いながら、私のインタビューではさりげなく中道に寄って語ったポーレンティーの態度が、まさにそうでした。それができなければ、大統領にはなれないということなのです。

党の候補者が決まる二〇一二年の夏までは、共和党では、誰もが宗教的なことを言い、神の名を口にするでしょう。

オバマはイスラム教徒という誤解

もちろん、民主党ならば、キリスト教徒でなくてもいいというわけにはいきません。

アメリカには、オバマ大統領がイスラム教徒だと誤解している人が多くいます。驚くべきことですが、世論調査をすると、いまだにかなりの割合でいるのです。

特に保守派には、オバマはアメリカ生まれでなくイスラム教徒なので大統領の資格はない、と主張する人が多くいます。さきほどのテレビ番組でのインタビューでも、白人のおばさんが「外国暮らしが長かった人に大統領になってもらいたくない」と答えていました。実際は、オバマ大統領の外国暮らしは、インドネシアに少年期の四年いただけです。しかし、ケニア育ちだと信じている人が多いのです。

このような誤解には、政敵によるネガティブ・キャンペーンも大きく影響しています。たとえば最近も、さきほどのポーレンティーとともに一時は大統領選の共和党候補に有力視されていた、牧師のマイク・ハッカビー前アーカンソー州知事が、ラジオのインタビューで「オバマ大統領はケニア育ちだから一般的な米国人とは考え方が違う」と発言しました。

そのことが問題になると、ハッカビーはインドネシアと言うつもりで言い間違えたと釈明しましたが、明らかにわざと言ったのです。そのように言うことで、保守派の反オバマ感情に訴え、支持を得ようとしたようです。

ただし、オバマ大統領に、まともなキリスト教徒ではないというイメージがあることは確かです。父親はイスラム教徒でしたし、バラク・フセイン・オバマのフセインは、イスラム教徒に特有の名前です。

このため、オバマ大統領のほうでも、ホワイトハウスの近くの教会へ家族と一緒に歩いて礼拝に行って見せたり、記者会見でも自分がキリスト教徒であることを強調したりしています。

キリスト教徒であるか否かが政治家の命運を決するなど、日本ではおよそ考えられないことです。

しかし、アメリカでは、大統領がキリスト教徒でないなど、あってはならないことと考えられているのです。大統領とは、キリスト教の宗教国家であるアメリカの代表者だからです。

増加するイスラム人口

カトリックでは、避妊は禁じられています。そのためカトリックの家庭は、大家族という場合がよくあります。

ユダヤ教徒も同じです。イスラエルに行くと、ユダヤ原理主義の人たちが、黒いヒゲをカールして、黒ずくめの服を着ています。ひたすらユダヤ教の教典の解釈ばかりを考えている人たちですが、ものすごい数の子どもを引き連れています。「産めよ、増やせよ、地に満てよ」と神様が命ぜられたのですから、避妊してはいけないのです。せっせと子どもをつくることが、神様の教えに叶うことです。

イスラム教では、「避妊をしてはいけない」とはされていません。けれども、神様が私たちをお創りになったわけですから、生命を大切にしなければいけないという思いはあります。

それに、セックスは神様が私たちに与えてくれたものだから、十分楽しめと、『コーラン』に書いてあります。当然、性についての罪悪感はありません。罪悪感を持ってはいけないのです。

ただし姦通は、極刑です。楽しめ、しかし家族社会が崩壊しないように、家族の中にとどめなさい、とされているのです。

結果的に子どもが増えます。いま、イスラム教徒の人口は大変な勢いで増加しています。ヨーロッパからみると、イスラム教の脅威とは、人口の脅威でもあるのです。

民主主義が原理主義を生む

イスラム教の動きから世界を見ると、民主主義のジレンマが見えてきます。

かつてドイツでは、民主的なワイマール体制の中からナチスが生まれました。独裁者ヒトラーによる全体主義国家は、きちんと選挙によって選ばれたのです。民主化することによって過激派が生まれてしまうことがあるのです。

たとえばアルジェリアは、長らく軍事独裁政権でしたが、一九八九年に民主化しました。ところが選挙で、イスラム原理主義勢力が圧倒的多数をとったものですから、軍部が慌ててクーデターを起こしました。それ以来、アルジェリアでは混乱が続いています。

パレスチナでは、一九九四年にパレスチナ自治政府ができ、アラファト議長の下で自治が始まりました。議長とは、大統領にあたります。アラファトは、議会にあたる評議会議員選挙を、任期が切れたにもかかわらず行いませんでした。アメリカは、それを批判し、民主主義のルールに従って選挙を行うようにと働きかけました。そこで二〇〇六年に選挙が行われた結果、反イスラエルのイスラム原理主義組織「ハマス」が議会の多数派を占めました。それ以降、パレスチナ問題の混迷は続いています。

民主的な選挙をすると、原理主義勢力が圧倒的な力をとる。これが民主主義のジレンマです。

エジプトにも「ムスリム同胞団」というイスラム原理主義の勢力があります。

ムスリム同胞団は、その初期には、イスラム原理主義の父と呼ばれるサイード・クトゥブという、極めて過激な思想家を生み出しました。クトゥブは、アルカイダのオサマ・ビンラディンやザワヒリの源流にあたる思想家です。そのためムスリム同胞団は弾圧され、穏健化することによってこれまで生き延びてきていました。政治に関与してはいけないという形で抑えられてきたのですね。ところが今度の革命でムバラク大統領の独裁政権から民主政権に変わったことによって、いよいよ政治に乗り出してきました。

今後の動向はまだわかりませんが、ムスリ

Q アルカイダとビンラディン

オサマ・ビンラディンは、かつてアフガニスタンがソ連に攻め込まれたとき、サウジアラビアから駆けつけて戦いました。その後、いったんサウジアラビアに戻りましたが、国内にアメリカ軍が駐留することを国王が認めたことを批判したため、サウジアラビアを追い出されました。そこで、知り合いが多くいるアフガニスタンに行きました。

アフガニスタンには、テロ事件や殺人事件を起こして自分の国にいられなくなった過激派が、次々と住み着きました。ビンラディンは、こうした過激派を集め、「アルカイダ」という、世界各地でアメリカに反対するテロ活動をするメンバーのネットワークを作ったのです。

ム同胞団が政党化することによって、もし原理主義の性格を強めていくと、エジプトがきわめて原理主義的な国家になる可能性があります。その萌芽はすでにあります。ムスリム同胞団は反イスラエルですから、エジプトとイスラエルとの関係が悪化する可能性があります。イスラエルはいま、それを最も恐れています。

リビアでも同様です。カダフィはこれまで原理主義をひたすら抑え込んできました。しかし、もしカダフィ政権が倒れて、リビアが民主化されたら、イスラム原理主義が入ってくるかもしれません。そうなることをいまアメリカやイスラエルは恐れています。

こうした例が示すように、アメリカ的な民主主義の発想で、自分たちの代表を選ぶ民主的な選挙を行うことによって、結果的に、反米国家が次々に生まれてくる可能性があるのです。じつに皮肉な現実ですね。

北アフリカや中東の政変そのものは、独裁政権に対する民衆の怒りによる民主化です。しかし、そこから先は、イスラム教であるがゆえの不思議な動きをする可能性があるのです。イスラム教やイスラム原理主義がどういうものかを知っていると、そこのところを読み解くことができます。

インドの経済発展とカースト制

ヒンドゥー教が主流をなすインドは、今後どうなるでしょうか。

インドはとても複雑な国です。人口は十二億人。「世界最大の民主主義国」と言われています。人口では中国のほうが多いのですが、中国は民主主義ではないので、インドが最大とされています。

それほど多くの人口があって経済のパワーも急速に伸びている国ですが、一方で、過去の残滓というべきカースト制、身分制度がいまも残っています。

カースト制は、古代のバラモン教からヒンドゥー教に受け継がれてきました。非常に細かく分けられたカーストに従って、人にはそれぞれ働くべき仕事が決められています。このカーストの人が就ける仕事はこれだけ、逆に言えば、この仕事はこのカーストの者しかしてはならないと、みな決まっているのです。

このことが、これからのインドの経済発展の足を引っ張る可能性があります。

インドでも、国家としては、差別は禁止しています。しかし一方で、信教の自由がありますから、宗教の思想としてのカーストを否定はできません。社会的な差別は禁止しているので、カーストによって働ける仕事が限られるということは否定しているのですが、カースト制自体は必ずしも否定しきれない。そういう難しい状況があります。それがインドなのです。

カーストは、非常に厳密です。たとえば日系の企業が現地でオフィスを掃除する人を雇おうとしたなら、テーブルの上を拭く人と、床を拭く人とは、カーストが違います。一人の人に「部屋を掃除しといてね」と簡単に言うわけにはいかないのです。それぞれに人を雇わなければいけない。

このような話を聞くと、とても不合理なことに思えるでしょう。

ところが、そうやって仕事を分けることによって、結果的に、ワークシェアリングが成り立っています。十二億の人たちがうまく仕事を分け合ってきたという面もあるのです。たとえ低賃金ではあっても、働く場所はみんなに与えられている。ですから、いきなりカースト制を禁じたりすると、大変なことになってしまいます。

インドでは、ＩＴ産業が著しく成長を遂げました。ＩＴ産業は、最近になって登場した仕事ですから、カーストの指定がありません。従って、誰でも就くことができます。

ただ実際には、ある程度カーストが上の人でないときちんとした教育が受けられないため、結局は、地位の高い人々がＩＴ界を牛耳っているとも言われています。

けれども、国家としては、差別をなくそうと、カーストの低い人たちの教育にも力を入れていますし、少なくともカーストそのものによっては閉ざされていないのですから、可能性としては開かれています。

このようにインドには、カーストによって社会の発展が抑えられているという面がある一方、これから新しく生まれる産業ではどのカーストの人でも働けるので才能のある人たちが活躍できる可能性があるという面があるのです。

インド人はみなターバンを巻くのか

ところで、インド人というと、ターバンを巻いているイメージがありませんか？　カレー屋さんのマークなどでも、ターバン姿にヒゲの印象が強いですよね。

ところが実際にインドに行くと、ターバンを巻いた人はあまり見かけません。

実はターバンを巻くのは、シク教徒だけなのです。

シク教とは、西から入ってきたイスラム教の影響を受けて、ヒンドゥー教徒の一部が一神教徒に変わったものです。ヒンドゥー教とイスラム教との接点で生まれた、新しい宗教です。

シク教では、男性は髪の毛をけっして切ってはいけないとされています。ですから長く伸ばした髪をターバンを巻いて押さえるのです。また、ヒゲを剃ってはいけないともされています。その結果、ヒゲもじゃの顔で、頭にはターバンという、おなじみの姿になるわけです。

ヒンドゥー教徒やイスラム教徒はターバンを巻きません。シク教徒は、インドの人口のたった二％しかいません。ターバンを巻いているインド人は、実際はごくわずかなのです。

それなのに私たちは、インド人といえばターバンを巻いているというイメージを持っています。

不思議なことだと思いませんか？

Q ヒンドゥー教とバラモン教

ヒンドゥー教は、「インド人の宗教」という意味です。今は国民の八割以上の人が信じています。ヒンドゥー教にはたくさんの神様がいて、宇宙を作り出した神、宇宙を守る神、宇宙を破壊する神もいます。

ヒンドゥー教は四世紀頃、古代インドのバラモン教から生まれました。バラモン教は、身分の高い人と低い人がいるとするカースト制や、人は死ぬと生まれ変わるという輪廻の考えを持っていました。どちらの考えも、ヒンドゥー教に引き継がれています。

釈迦も、生まれたときはバラモン教徒でした。輪廻の思想は、バラモン教から引き継いだものです。ですから仏教はヒンドゥー教とは兄弟のようなものなのです。

どうして、ごく少ないシク教徒の姿が、私たちのインド人のイメージになったのでしょうか。

その原因は、イギリスがインドを植民地として支配していた時代にさかのぼります。ヨーロッパの国々が植民地を支配するときには、必ず少数派によって多数派を支配させてきました。フランスはインドシナで、ベトナム人を使ってカンボジアを支配しました。イギリスは香港やシンガポールを、連れて行ったインド人に支配させました。そのためいまも香港やシンガポールには大勢のインド人がいます。

同じように、ヒンドゥー教徒とイスラム教徒が多くいるインドでは、少数派のシク教徒を重用して支配しました。シク教徒は、ヒンドゥー教徒と違ってカーストとは関係ありませんから、才能があれば誰でも取り立てられました。シク教徒はインドのエリートとなり、世界各地にイギリス人に連れられて行くようになります。その結果、インド人といえばターバンを巻いた人というイメージが、世界に定着したのです。

インドの町ではターバンを巻いている人はそれほど見かけないのですが、警察官や、役所の上層には、けっこう多く見かけます。いまでも要所要所は、シク教徒が押さえているのです。それは植民地支配のときの名残りであると同時に、シク教徒はカーストに関係なく実力で上にいくことができるからです。

インドでは、このように人事の構造に宗教が深く関係しています。

宗教について知ること

世界の国々の内政にも国際関係にも、宗教は大きな影響を与えています。

宗教のことを理解しなくては、世界の動きはまったくわからないのです。

ですから、まずはフラットな立場で、それぞれの宗教がどんなものなのかを知るということが大切です。

たとえば仏教では、解脱《げだつ》して涅槃《ねはん》に入ることを理想としています。それは、この世界に二度と生まれてこないということを意味します。ところが若い人に「仏教の理想は、二度と生まれて来ないことだよ」と言うと、ものすごく驚かれます。そういうことも含めて宗教のことは全く知らないのでしょう。

いいえ、それは若い人ばかりではありません。

かつて「日本は神の国」と発言した森喜朗元首相は、小渕元首相が亡くなったときに、「あなたは天国に召されていったのです」と弔辞を述べて、参列者をずっこけさせたものでした。神道と、キリスト教的な天国の区別もついていなかったようです。ということは、実は全然知らないということでしょうね。

キリスト教やユダヤ教やイスラム教には、そもそもこの世界を創ったクリエーターがいます。しかし仏教にはいません。

そういった基本的なことが、この本を読んでいただくとわかります。自分にいちばん合っている宗教を見つけられるような、職業案内ならぬ宗教案内となっています。とはいっても、どこかの宗教に入りなさいと勧めているわけではありません。それぞれの宗教がどんなものなのかを知るための入門書として読んでいただきたいと思っています。

宗教はよく死ぬための予習

私が最初に通った幼稚園はキリスト教系でしたので、クリスマスが近づくとイエス誕生の劇をやったりもしました。と言ってもキリスト教の信者だったわけではありませんから、その後、引っ越すと、今度は仏教系の幼稚園に通いました。がらっと変わって、四月八日の花祭りに甘茶を飲んだりするようになったのです。

私の父は、明治・大正時代の代表的なキリスト教思想家の内村鑑三に傾倒していて、近くの教会にも通っていました。その関係で、毎年、クリスマスイブの夜十時ぐらいになると、家の前に聖歌隊がきて聖歌を歌い出すのです。それが子供心に楽しいイベントでした。そろそろくるかな、とわくわくしていました。

父親が亡くなったとき、母親が、うちは日蓮宗だからと、仏式で葬式を出しました。しかし、後で教会の牧師さんが「お参りさせてください」と言ってやってきたものですから、母は「いけなかったかしら」と悩んだものです。父親は最終的にどうしてほしいという意思をはっきりさせないまま亡くなりました。このため、本人は葬儀をキリスト教でやってほしいと思っていたのか、それとも家の宗教である日蓮宗でよかったのか、わからないまま、母親も私も大変悩みました。

私は高校時代、聖書を読んで、神様を信じるべきかどうかと、自分なりに悩んだこともあります。神は存在するのだろうかと悩みながら、一生懸命、聖書に取り組みました。しかし結局、神様がいるかどうかはよくわからないままです。特定の宗教にはまることもありませんでした。

しかし海外に行ったときには、「私はブッディストだ」と言っています。やはり一神教にはどこかついていけない。仏陀の教えがしっくりくると感じています。ダライ・ラマにこれまで三回お会いしてインタビューしましたが、お話ししていると、癒される気がします。

私は、宗教を考えることは、よく死ぬことだと思っています。宗教は「死のレッスン」と言った人もいます。つまり、どう死ぬかという予習なのです。

よりよく死ぬとは、よりよく生きることでもあります。

よく生きることができれば、従容《しょうよう》として心穏やかに死を迎えられるのではないか、と思うのです。むろん何も思い残すことはないというのが理想です。しかし、たとえ思い残すことがあっても、自分は生きてきた中でそれなりのことはやったという思いがあれば、死ぬことを、しようがないことだとどこかで納得できるのではないか。

死の予習をすることが、よりよく生きることにつながる。それが宗教を考える意味だと、私は思っています。

では、さっそく宗教家のお話を聞いてみましょう！

第2章 ほんとうに「葬式はいらない」のですか？

宗教がわかる！

島田裕巳（宗教学者）

1953年、東京都生まれ。東京大学大学院人文科学研究科博士課程修了。『墓は、造らない』（大和書房）『金融恐慌とユダヤ・キリスト教』（文春新書）など著書多数。

池上　現在の日本人の宗教との関わり方について、どのようにごらんになっていらっしゃいますか。

島田　今は大きな転換期だと思いますね。団塊の世代が退職し高齢者になってきたことが非常に大きい。団塊の世代の多くは、地方から都会へ出てきた人たちです。地方の村社会で育っていますから、本人たちは必ずしも自覚していないかもしれませんが、昔の村でやっていた葬式に対する憧れやノスタルジーが意外と強いんです。私の場合など、祖父母は地方出身者ですけど、父も母も東京の出身で、しかも田舎との関係が薄いんで、そういう慣習を全然知らない。やはりそこを知っている人たちと知らない人たちの間の落差みたいなものが出てきています。

池上　私は団塊の世代の一つ下なんですが、そろそろ六十を超えると、死のことを考えるようになってきますよね。

島田　一番大きなきっかけは、自分で親の葬式を出すということですね。親の葬儀を出すことで、初めて具体的に宗教というものと関わらざるを得なくなる。今の日本で死ぬ人は毎年、およそ百二十万人。つまり百二十万件の葬式があるわけです。

池上　そのときに、では自分はどのように死を迎えればいいかと、やっぱり考えるようになりますね。

島田　そうです。ただ、親の葬儀を出すことは自分たちの考えでできるけれど、自分が死んだときには、自分の葬儀はできない。では、どうなるんだろうなと考えてみると、葬儀自体はともかくとして、お墓があるのか。仮にあったとしても、そのお墓を自分の子どもがずっと守ってくれるとはイメージできなくなっています。娘しかいないとか、そもそも子どもがいないとか、そういう状況があるわけですから。

そうなると、ノスタルジーを持っている人たちは、自分たちはもう昔流のやり方では供養されないんではないかという恐れを抱いている。だから迷っているというか、右往左往しているという状況でしょう。

急増する「直葬」

池上　そういう状況のなかで、『葬式は、要らない』（幻冬舎新書）という本を出していらっしゃいますが、これはどのような問題意識からでしょうか？

島田　二十年前に『戒名──なぜ死後に名前を変えるのか』（法蔵館）という本を出しましたが、これは戒名という制度が何のためにあるのかを問いたかったんです。死者にランクがつけられ、戒名でいろいろ差別して、しかもお金がすごい額かかる。まさにバブルの時代で、有名人だと五百万円の戒名料とかあったぐらいで。それはすごく矛盾しているんじゃないかと。

そこから『葬式は、要らない』につながっていったのです。今の葬式はしきたりとして行われているけれども、本当に要るものなんだろうか、と長らく疑問でした。私の祖母や伯父（叔父）の葬儀でも、誰も参列者はいなかったんですよ。高齢ですから、友だちがいたとしても、みんな死んでしまっていない。そうなると、少なくともいま普通にやっているような葬儀は要らない。そこがすごく問題になっているんじゃないかと考えて、本を出したんです。

池上　最近、葬式をしないで、そのまま火葬場にという例が、けっこうありますよね。

島田　直葬ですね。あの本を書いたきっかけは、直葬が増え始めたということを聞いて、ああ、こんなに変わってきたのかと思ったこともあったんです。たまたま刊行翌日に、NHKで『無縁社会』が放送されたんですが、誰も引き取り手のいない死者が、葬儀社の人だけに見守られながら直葬されるというシーンがあって、ちょうど重なったんですね。

池上　私の大学時代の同級生が亡くなったんですが、奥さんが直葬しちゃってですね。みんなで葬式に行こうと思ったら、もう骨にしちゃったって。お葬式に行きたかったのにと言ったら、「じゃ、骨を渡しますから、皆さんで管理してください」って言われて、全員でずっこけたんですけど（笑）。

島田　ああ……。骨が邪魔になるんですよね。本を出してわかったのは、遺骨が残ってしまうことに、今どれだけの人たちが苦しんでいるかっていうことです。勝手に撒くわけにもいかないし、墓に入れなきゃいけないけど、墓がなかったらどうすればいいの、と。墓を買うといったって数十万、立派な家の墓とか作ったら数百万かかってしまうわけだから。しかも、ずっと管理しなきゃいけない。そんな負担をなんで今やらなきゃいけないかって感じる人たちも相当数いるわけです。葬儀の部分に関しては直葬でいいと。だけど、遺骨に関しては引き取らなければならないんで、自宅に置いたまま困っている人たちも多いですよね。

昔の社会ではあり得ない話です。村社会では葬式は一大イベントですから。それに比べれば、確かに簡単すぎるし、死者を悼んでないんじゃないのって思う人たちもいます。けれどもそういう常識が成り立たなくなった時代が急激に訪れて、直葬、家族葬が急増したようです。

池上　当然、島田家はどうするんですか、と聞かれますよね（笑）。

島田　よく聞かれますけどね、まだ死なないって（笑）。

ただ、現役の若い方が直葬されちゃうと、けっこう困ることがあると思うんですね。葬式に行きたかったのに、という人たちがやはりいるわけだから。死んだってことを確認しないと、まわりの人たちもどこか気持ちが落ち着かない。だから、あとになって、せめてお焼香させてくださいって人がけっこう来るんですね。墓参りさせてくださいとか。そうなると、遺族は死んだことを絶えず思い出さなければならなくなる。葬式をしないことがかえって面倒になるという例もあるわけです。

でも高齢者だったら、必ずしも外向けに葬式をする必要がない。内輪でやれば済む。そういう二極化が今起こりつつあるんではないですか。

霊が怖くなくなった

池上　しかし宗教には、死への恐怖を和らげるという役割もあるはずですよね。

島田　今はあんまりみんな死を恐れていないと思いますよ。死んだあとに葬儀がどうなるのかには関心があるけれど、死自体を恐れることはない。多くの人が高齢で亡くなるので、そんなに怖いものではなくなったのかもしれません。かえって、いつまでも死ねずに生き続けるほうが怖い（笑）。私自身も、大病で死にかけたことがありますが、そうなると一度死んだようなもので、死が怖いとはあまり思わないですね。

池上　ただ、そうなると、逆に死をどう受け止めるべきかということは考えますよね。どうせなら、やっぱり尊厳ある死を求めたい、ジタバタはしたくないとか。子どもたちにみっともないところは見せたくないみたいな、ある種の美学ですね。

島田　そこはみんな考えるでしょうね。美しく死にたい、惨めな死は迎えたくないという感覚はある。ただ、宗教に関連して言えば、日本では霊に対する信仰が薄れているという面があると思いますね。先祖の霊とか、それが祟るとか、そういう感覚は急速に薄れている。新興宗教や霊能者がよく先祖の霊の祟りだみたいなことを言っていましたが、そういう霊魂信仰はなくなって、リアリティーを失ってきた。

精神科医の香山リカさんと話をしたときに、昔は「霊に憑依《ひょうい》された」と訴える患者さんがけっこういたけれど、今はあまりいないと言っていました。私も講演などの際、「先祖供養しなかったら祟ると言われましたが、どうしたらいいでしょう」と質問されることがあります。そういう場合は、「だいたいね、八十歳、九十歳で死んで、それでも祟ったら祟るほうが悪いんですよ」と答えています。そうするとみんな「すっきりしました」って言うんです（笑）。年金もらって、医療受けて、介護されて、九十で死んで祟るなんて、ちょっと贅沢すぎますよ。

池上　たしかに贅沢すぎますね（笑）。

そういえば、文化庁が宗教法人の報告による信者数をまとめていますよね。あれは、お寺は檀家の人を全て報告するし、神社は氏子を全部入れてしまうから、各宗教の信者をすべて足すと日本の人口をはるかに超える二億人以上になってしまう。日本人の信仰の融通無碍さを示すものですが、このところ、その総数が減っていますよね。

島田　各団体がわりと明確な信者数を出すようになってきたからじゃないですかね。たとえば「生長の家」なんか、はっきりと減らしたんですね。実情と合ってないというので。

■日本のおもな宗教と信者数

平成 21 年度文化庁統計（平成 20 年 12 月 31 日現在）より
（上 3 桁以下は四捨五入）

教団名	団体数（寺社教会など）	教師数（神職僧侶牧師など）	信者数（氏子檀家会員など）
神社神道系	79,900	26,100	98,000,000
教派神道系	5,540	33,400	3,470,000
新教派系	989	3,250	312,000
天台系	4,980	15,800	3,120,000
真言系	13,900	86,000	9,330,000
浄土系	30,100	54,800	19,300,000
禅系	20,900	22,700	1,620,000
日蓮系	12,100	111,000	14,600,000
奈良仏教系	455	1,180	711,000
キリスト教(カトリック)系	1,930	1,590	468,000
キリスト教(プロテスタント)系	5,560	8,970	540,000
諸教系	38,400	204,000	5,710,000
単立宗教法人	6,610	106,000	48,400,000
全宗教団体の総計	223,000	677,000	207,000,000

⬇

信者数の合計は約 2 億 700 万人。
ところが当時の日本の人口は約 1 億 2800 万人。
人口の約 1.6 倍を超える信者がいる計算になります！

今、宗教団体は目をつけられるのがいやなんで、どちらかというと信者数を低めに申告しています。それがあきらかなのは「真如苑」。あそこは二百万信者とかつて言っていたんですけど、そんな実態は全然なかったんです。だけど、二百万というと目をつけられるんで、今は実数で九十万ぐらいというふうに言っているんですよ。

池上　その「目をつけられる」というのは、国税庁からということですか。マスコミから？

島田　それは税金も、マスコミもでしょう。二百万教団というのと九十万人の教団というのとでは、インパクトがずいぶん違うじゃないですか。

池上　違いますよね。もし二百万教団だったら、たとえ宗教法人には優遇税制があるにせよ、この申告額は少なすぎるんじゃないですかって話に……。

島田　当然、言われる。だから、やっぱりそういう意味で実数に近く申告しはじめました。スポーツの観客動員なんかと一緒で、しだいに実数に近く出すようにはなってきていますね。

パワースポット巡りがブーム

池上　一時、スピリチュアルブームってありましたね。テレビでも、前世が見えるといったり、予言をする人が人気を博しました。最近あまり見かけませんが、あのブームはもう収まったんでしょうか。

島田　今は、霊能者などの人物ではなくて、スピリチュアルスポット、パワースポットといわれる場所が関心を集めています。

たとえば、京都の伏見稲荷大社の後ろに稲荷山という標高二百三十三メートルの山があって、そこには「お塚」という信仰のシンボルとして、石がたくさん祭られているんですね。たぶん一万くらいの「お塚」があって、赤い鳥居や、キツネの置物を奉納するのも盛んです。京都のＣＭなんかで有名な千本鳥居もすべて寄進で、しかもすぐ交換されていくんですね。この前、行って確かめたら、いま並んでいる鳥居は平成に入ってからのもの。昭和のものは一本もなかった。小さな鳥居になると、たった数日前のが祭ってあるだけで、どんどん入れ替わっている。昔の稲荷山はけっこうおどろおどろしいところで、煙がもうもうと上がって般若心経を唱えているという世界だったのが、今は高尾山なんかと同じ感覚で、カップルとか、若い家族連れ、それから外国人の観光客、そういう人たちが大挙して休みの日なんかに来るんですよ。

パワースポットはだいたい神社系が多いんですが、伊勢神宮へ行こうが、出雲大社へ行こうが、伏見稲荷大社に行こうが、とにかく若い人たちが大勢いる。家族連れといっても、中高年ではなく、まだ小学校に上がる前の子どもを連れているような世代が中心です。

池上 そういえば旅行会社がパワースポット巡りというツアーを売り出したら、大ヒットしたといいますね。ブームになってるんですね。

島田 そうです。近郊の人たちにとっては、まず、安いという理由は確かにあると思うんです。お金がかからないから。

池上 レクリエーションとして（笑）。

島田 はい。だけど、それだったらどこか近くの山にでも登ればいいわけですけど、そうじゃなくって、わざわざパワースポットへ行くというのは、やっぱり関心があるし、行けばちゃんとお祈りしたりするわけです。だから、意外と若い世代の中に、宗教的なものに対する関心が、一時よりも強くなっている気がします。

池上 このブームは、どういうわけで起きているんでしょう。

島田 『無縁社会』じゃないですけど、家族をつくって普通に生きていこうという人たちの中には、そういう信仰が自然な形で出てくるというか。それは、生活に切羽詰まった人たちが「すがりたい」といって集まったような一昔前の新興宗教ブームとは違うわけです。病気をどうしても治してほしい、という必死なものはなくて、日常が平穏でありますように、くらいの軽い感覚です。ちょうどそのレベルの信仰が、いま一番人気を集めているんですよね。

日本人はほんとうに無宗教か

池上　なるほど。よく日本人の宗教観について、「子どもが生まれるとお宮参りに神社に行って、結婚式は教会で、お葬式はお寺で」というのは、まるで節操がないじゃないかと言われますね。この宗教観についてはどう思われますか。

島田　節操がないと言いながら、「逆」はないんですよ。

池上　逆と言いますと？

島田　生まれたときのお参りはお寺で、葬式は神道でという人はいないんですよね。だから、一定の秩序はあるんです。

池上　ああ、確かに（笑）。

島田　神道と仏教はきちんと棲み分けがあって、生まれてからすぐの間は神道の儀礼が続く。お宮参り、七五三、成人式、ある時期までは結婚式も神前式が中心でした。で、死んでからは仏教。そういう流れですよね。ウエディングドレスの洋装が一般化したことによって、結婚式はキリスト教が入ってきましたけれど、やっぱりそれなりの秩序があるわけです。

日本人にとっては神道と仏教はそう簡単に分けられないものですよね。仏教が伝来した飛鳥時代からずっと神仏習合の文化でしたから。日本人の多くが「無宗教」と言うようになったのは、明治政府が神道と仏教を別々の宗教として分けて、廃仏毀釈運動などが起こった時期からです。それでも、やっぱり分けられないんですよ。どっちか選択しろと言われても、片方を選択できる人はほとんどいない。やむをえず「無宗教だ」と答える。それだけ、どちらも深く根付いているんです。これだけ宗教が自然に根付いている国は、かえって珍しいんじゃないですかねぇ。

池上　キリスト教徒なら毎週教会に行ったり、イスラム教徒は一日五回お祈りしたりする。日本人はそういうことはしないけれども、むしろ、わざわざ儀式をする必要がないぐらいに根付いているということですね。

島田　実際、毎週日曜日に教会に行っているキリスト教徒が、今どのくらいいるかというと、かなり怪しい。イスラム教徒でも、一日五回もお祈りしている人たちもそんなに多くはないはずですよ。

池上　日本人は無宗教だと変に後ろめたく思う必要はないわけですね。むしろ個別の宗派を超えた新たな信仰のモデルになる可能性もあります。無宗教でも、十分に天国に行けますね（笑）。

「家の宗教」化する創価学会

島田　日本人は、神仏に対して何らかの形で祈りを捧げたり、参拝に行ったりするってことをごく自然にやっていますよね。そういう意味では、宗教に対してすごく親近感がある。とくに今は、おどろおどろしい除霊とか、かつての創価学会のように徒党を組んで結束して布教するような時代ではなくなっていますから、宗教アレルギーも少ないんでしょう。

池上　創価学会もずいぶん変わってきたのでしょうか。

島田　そうです。創価学会も、戦前は別として、戦後ながらく「現世利益」で貧しい人たちを吸収することによって、信仰さえすれば豊かになれる、と布教してきたわけですね。

その中で、相当に過激なやり方をとって折伏してきた。だけど今は、信者は基本的に親から信仰を受け継いだ二世や三世、さらには四世や五世で、完全に「家の宗教」になっている。新しく折伏されて入る人はほとんどいない。支部で新入会員を紹介するのを見たことありますけど、みな赤ん坊でした。もはやキリスト教カトリックの幼児洗礼ですよ(笑)。

だから人間関係のネットワークはすみずみまで出来上がっていて、緊密なんですけど、それ以外に向かってはもう伸びていかない。選挙のときだけは活動しますけど、それ以外に隣人を折伏するかというと、もはやしないんです。

池上　まさに「家の宗教」になっているわけですね。

島田　現在はアクセスするのが簡単なものばかりが流行していて、とくにパワースポットなどと耳ざわりのいい言葉が使われることで、ごく自然に宗教的な場所へ行く。だから今、東京では地域の祭りがけっこう盛んになっています。びっくりしたんですけど、靖国神社の「みたままつり」は今、ギャルのお祭りなんですね。本来は戦争の死者、いわゆる英霊を祀るわけですが、二十歳前後の若い子たちが大挙して来ていて、家族連れすら少ない。靖国以外の祭りでも、若い人がすごく多い。そういう形で人の縁というか、つながりを欲しいと思う感情は、かえって前よりも強くなっているんじゃないですか。

仏教寺院の経済モデルが成り立たない

池上　一方で、お寺については、よく「葬式仏教」と批判的な言い方もされますけど、それで経営が成り立っていたのも事実ですよね。これから直葬が増えて、葬儀がなくなったら、その部分はどうなっていくんですかね。

島田　今までは、仏教界の人はわりと威勢がよくて、「仏教は亡くなった人ではなく、生きている人のためにある」とか言ってたんですけど、僕の本（『葬式は、要らない』）が出てみると、とたんに「葬式命」みたいな本音を言い出した（笑）。お寺だって葬式ばかりやりたいわけじゃないと思うんだけど、寺院経済が葬式に依存するシステムになっているから、そこがなくなったら困るわけですよ。

そもそもお寺とは、経済活動をする場所ではない。古くは寺院の建立を発願した人間が、建立後も田畑を寄進して、そこから上がる収入によって寺院を維持運営するという構図になっていたわけです。それが、明治時代に「上知令」が出て、それら寺の領地は召し上げられ、さらに戦後、ＧＨＱの指令に基づく「農地改革」で農地を奪われた。この二度の改革で、仏教寺院は決定的に経済基盤を失ったのです。

それから、なんといっても跡継ぎが難しい。けっこうお寺のお嫁さんは忙しいので来ても逃げちゃう（笑）。彼らは、宗教法人法の壁があるんで、国から助成金や補助金が受けられないんですよね。本当はお寺が地域コミュニティーの核になっていたりもするんだけど。でも、そういうものを支える仕組みがない。

池上　お金を集めるという面では、新興宗教のほうが、どんどん土地を買ったり新しい建物に建て替えたりしていますよね。

島田　集金力は、一部の新興宗教に限った話ですね。真如苑は日産の武蔵村山工場の跡地を何に使うかもわからないのに買ったり、運慶の大日如来をオークションで落札したので、非常に目立ちました。けれど、最近ではほかの教団は新しく神殿を建てたりはしていないんですよ。

池上　ごく一部の教団が目立っているだけなんですね。

既成宗教の圧倒的な集金力

島田　ええ、今は既成教団のほうが集金力があると思います。伊勢神宮は遷宮《せんぐう》のお金を集めていますが、今度の遷宮については、これまでで一番額が多くて五百五十億円もかかるんです。前回は三百三十億円だった。実は、伊勢神宮は、三百三十億円はすでに持っているんです。それでも足りない部分を、五年間で毎年四十億円ずつ集めるという計画で、募金を集めている。

同じ平成二十五年には、出雲大社も遷宮で屋根の葺《ふ》き替えをするんです。こちらも今お金を集めています。出雲大社は国宝なので、補助金も出るんですが。

京都の東本願寺と西本願寺も最近、それぞれ百億円と六十億円かけて建物の屋根を葺き替えました。それから奈良の唐招提寺も金堂を改修したし、これから始まるのが薬師寺の東塔の解体修理で、これは二十二億円かかるんです。国宝なので国から三分の二は出るよ

Q 遷宮《せんぐう》

神社の本殿の造営や修理にあたって、御神体をそれまでと別の本殿に移すことを「遷宮」と言います。さまざまな祭礼を伴って行われるのが普通です。本殿が古くなったり壊れたりしたためばかりでなく、伊勢神宮のように定期的に行われているところもあり、「式年遷宮」と言います。

伊勢神宮には、内宮と外宮のそれぞれに東西二つの同じ広さの敷地があり、二十年ごとに交替で社殿を新築します。持統天皇四年（六九〇）に最初の遷宮が行われ、平成二十五年は六十二回目です。

出雲大社の式年遷宮は六十年に一度です。現在の本殿は、延享元年（一七四四）に造営されたもので、遷宮では大屋根の檜皮の葺き替えなどが行われます。

うですが、残りは薬師寺だけで集めなければいけない。伊勢神宮だと全国の神社が協力するんですけど、薬師寺は単体でそれだけのお金が集まるわけで、相当なものだと思います。

池上　なるほど。むしろ既成宗教が巻き返しているわけですね。

島田　はい。既成宗教には底力があると思いますね。平成二十五年に伊勢と出雲の遷宮が完成したときには、きっと尋常じゃない数の人がお参りに行くでしょう。「お蔭参り」といって、江戸時代には六十年に一度、大挙して伊勢に行きましたけど、あのときは三百万人から四百万人、当時の人口の一割くらいがお参りに行っているんですね。抜け参りといって、もはや仕事をやめ、家事を放っぽり

Q 名所図会《ずえ》

江戸時代の後期、タイトルに「名所図会」とつけられた、各地の名所旧跡を紹介する書物が人気になりました。名所図会とは、今日の観光ガイドブックのようなものです。挿絵もたくさん入っていて、庶民にも親しまれました。

その最初は、秋里籬島《あきざとりとう》の『都名所図会』（京都）で、安永九年（一七八〇）に刊行されています。その影響を受けて、『江戸名所図会』など、たくさんの名所図会が刊行されました。

当時の庶民の旅の目的といえば、なにより寺院や神社への参詣でしたので、名所図会に寺社の記述が欠かせなかったのはもちろん、一つの神社仏閣をテーマとした名所図会も刊行されました。

出して行っちゃう。平成の遷宮も、形態は違うかもしれませんが、そのくらいの数を集めるんではないでしょうか。

私の印象では、江戸時代に信仰形態が戻っていると思います。戦後の、新宗教の時代といわれたころは、貧困とか病気とか争いごとの解決を求めていたわけですよね。それでドラマチックに儀礼をやって、病気治しとか、手かざしとかやったわけですけれども、もはや病気は病院で、という時代になってきた。貧困というのも、やはり昔と様相が違うんで、宗教に期待する人はあんまりいないわけです。

そうなってくると、エンターテイメントと結びついたパワースポット的なものに関心が集まってくる。江戸時代に各都市で神仏のガ

Q 出開帳《でがいちょう》

寺院がふだん秘仏として見せない仏像を公開することを開帳といいます。

開帳は、鎌倉時代から行われていましたが、江戸時代には人気の興行となりました。境内の内外にのぼりが立ち並び、露店や見世物小屋が連なって、大勢の参詣客で賑わいました。庶民にとっては楽しい行楽だったのです。本来は仏と信者の結縁《けちえん》のための宗教行事ですが、寺院にとっては、堂舎の修復などに必要な出費をまかなう事業であり、宣伝の機会でした。

ふだんから仏像の置かれている寺院で行われる場合を「居開帳」、寺院のある地から離れて行われる場合を「出開帳」と呼びます。出開帳では、人の多い都市へと仏像が出張するわけです。

イドブックとして名所図会《めいしょずえ》が作られました。それを見ながら見物に行ったわけです。お祭りがあるし、出開帳《でがいちょう》があるし、という形でみんなが集まった。それと同じような時代になっている。

たとえば二〇〇九年、国立博物館の阿修羅展に東京・九州合わせて百六十六万人ともものすごい数の人が来ましたけど、あれは現代版の出開帳ですよ。

江戸時代に戻ってきた

池上　なぜ日本の信仰が、江戸時代に戻ってきているんでしょう。

島田　今の社会は、平安時代と江戸時代に次ぐ、第三の長期安定期といえるんじゃないでしょうか。今回のような自然災害はあるとしても、戦争は起こらないし、経済もそんなに発展しない。日本は超成熟社会だから、この状況が百年どころか二百年、三百年ぐらい、たぶん続いていくんだと思います。失われた二十年って、実は、超成熟期の始まりですよ。経済発展ということでは振るわないように見えるけれど、日本ほど物があふれた豊かな社会はほかにないですから。

池上　江戸時代だって高度経済成長したわけじゃなくて、安定的に緩やかに発展していたわけですよね。

島田　しかも、国家レベルの軍隊がないんですよ。戦争もない。平安時代は死刑がなかったとも言われています。平安時代や江戸時代って、よく考えてみると不思議な時代ですよね。とくに江戸時代は、その前に桃山時代というバブルがあって、そのバブルが崩壊したあとに、江戸幕府はとにかく倹約を課して、むしろ経済を抑えていた。

池上　長期デフレでしたね。

島田　そうです。参勤交代などで富の再分配をする、というような仕組みでやっていたわけです。おそらくそういう社会が来たがゆえに、宗教のほうも日常的な安定したものになったんではないかと思いますね。

逆に動乱期には新興宗教が流行る。戦乱の鎌倉時代に、浄土宗や日蓮宗など新しい仏教宗派が続々と誕生したのも、一種の新興宗教です。

池上　若い人がパワースポット巡りをしたり、あるいは既成宗教の巻き返しが行われているというのは、平安、江戸に続く安定期ゆえの現象ですか。

島田　はい。日常的な娯楽としての宗教のブームが、これからもずっと続くでしょう。もう刺激的な新宗教が出てくる可能性は少ないし、日常化した信仰の時代に入っていると思いますね。パワースポットブームみたいなものは、名前や形が変わっても繰り返し起こって来るでしょう。

宗教の衝突はどうなる

池上　その一方、たとえば海外では、二〇〇一年の9・11同時多発テロ事件以降、キリスト教文化圏対イスラム文化圏の衝突、文明の対立といった言い方がよくされています。世界では、これから宗教問題はどうなっていくとお考えですか。

島田　一時は原理主義が問題化しましたけど、あれは過渡期的なことだったと思いますね。原理主義といっても、過激になるのはいろんな要因が重なってそうなるのであって、経済発展が起こってくると、あまりに過激な宗教には人が集まらなくなる。少子化が進むと、子どもをテロリストにはさせたくなくなる。子どもたち自身も豊かな環境で育ってくるから、そういう将来を目指さないですよね。

その代わり、たとえばカトリックの牙城だったブラジルで、プロテスタントの福音派という新興宗教的なものがけっこう広がっているんですね。ローマ教皇が危惧の念を抱いてブラジルに行ったほどです。かつての日本と同じで、経済発展が起こっている国では新興宗教が流行るわけですよ。その時期を通り越すと、今の日本のように江戸時代的な信仰の形態に行き着く。

だから日本は、ある意味では世界でもっとも宗教的に進んだ国になっている。テロもオウム真理教が早かったですから。そういう意味では、全て前倒しで来ているから、現在の日本の信仰の形態が、実はこれからの世界的なスタンダードだと思います。

オウムをどう総括するか

池上　今、オウムのお話が出ましたので、最後にうかがいたいんですが、あの騒動をどのように総括していらっしゃいますか。

島田　今の状況から考えると、あんなことが起こったこと自体が想像もできない。私自身も「オウムを擁護した」といわれのない非難を受け、当時勤めていた大学をやめなければならなくなりました。

オウム真理教が生まれたのは一九八〇年代の真ん中ぐらい。それから事件まで、わずか十年です。その間に、信者数は一万程度だけど、出家者が最大で千四百人まで増えている。なぜそれだけ急速に人々を集めることができたのか。しかも、若い優秀な人たちを集められた。集めたがゆえに、サリンを使ったテロにまで突き進んだ。ちょうどバブルが上り詰めていって崩壊する時代ですから、日本の社会がある種の異常な状況にあったのかもしれない。やったこと自体は破格ですよね。世界を意図的に破壊しようとしたわけですから。しかし、その理由は必ずしも定かにはなっていない。

池上　そこがわからないままだと、まったく同じではないにせよ、再び似たような形のものが出てくる可能性はあるってことですね。

島田　ええ。しかも、わずか数年であれだけの破壊的な宗教が生み出されたわけですから。

宗教は、日常化して穏健なものになっていくけれど、ちょっとした条件が変わることによって、非常に過激なものになっていくという、二面性を持っているわけです。この問題は相当に厄介で、だから「宗教なんかもう古い」とか、「新興宗教的なものはみんな間違っている」とか、「質が低い」とか、そう言ってすまされない部分がある。

宗教は、人間を異常な行動に走らせる原動力になりうるものなんですよ。

伏見稲荷でも、背後の稲荷山に信者たちが大量の石を持ち込んで、「お塚」と呼ばれる信仰のシンボルを作ったのは明治に入ってからです。そのエネルギーは、カルトとかそういう次元ではないけれど、相当なものがあるわけですよ。

そういうものがずっと秘められていて、江戸時代のような超安定期になっても、その時代にこそ「お蔭参り」など爆発的な現象が起こったわけだから、これからも突発的に宗教をめぐって何らかの出来事が起こる可能性はないとは言えません。

むしろ日常化していくと、日々の暮らしに飽きた人々が、非日常的なものを求めて殺到するってことは十分あり得ます。

池上　なるほど。宗教の魅力と危険性は紙一重というわけですね。どうもありがとうございました。

■インタビューを終えて

著書『葬式は、要らない』で宗教界を震撼させた島田さん自身は、葬式をするのか、どうか。「まだ死なないって」という答えで、はぐらかされてしまいました。

葬式をするか、どうか。それを考えると、「より良き死」とはどんなものか、考えざるを得ません。日本で高齢者が増加しているからこそ、多くの人が考えるようになるのでしょう。

日本人は、いったいどの宗教を信じているのか、はっきりしない。無宗教ではないかとも言われるのですが、島田さんは、そうではないと断言します。「日本人は、神仏に対して何らかの形で祈りを捧げたり、参拝に行ったりするってことをごく自然にやっていますよね」と指摘されれば、その通りです。

具体的に決まった宗教を信仰していることを明言する人は少なくても、多くの人が、「信仰心」を持っています。それが、若い人の間での「パワースポット巡り」になって現われているのかも知れません。

宗教は、日常化して穏健なものになるが、条件が変われば過激なものになる二面性を持っているというのが、島田さんの認識です。東日本大震災によって、日本の宗教は、どう変化するのか。これからが注目です。

第3章

仏教がわかる！❶

「南無阿弥陀仏」とはどんな意味ですか？

釈徹宗
（浄土真宗本願寺派如来寺住職）

1961年、大阪府生まれ。龍谷大学大学院、大阪府立大学大学院博士課程修了。相愛大学教授。著書に『親鸞—救済原理としての絶対他力』（佼成出版社）など。

池上　釈さんは、浄土真宗本願寺派の如来寺のご住職で、相愛大学教授として宗教思想を研究されています。今日は、仏教全般について、素朴なところからお話ししていただければと思っています。

釈　あらためて、「仏教全般を素朴に話せ」と言われると、なかなか語りづらいところがありますね。仏教はさまざまな顔をもっていますので。

とくに日本仏教となれば独特の面があります。たとえば念仏の宗派、禅の宗派、法華経の宗派といったセクト的に分派していく性格も特徴のひとつですね。他文化圏の仏教に比べると、やや異質です。日本もかつては、宗派といっても、華厳《けごん》の寺へ行けば華厳経が学べて、法相《ほっそう》の寺へ行けば唯識《ゆいしき》が学べるというような、学派的な性質のちがいでしたが。

池上　それぞれ勉強するお経によって、学派が分かれていたんですね。

釈　いわば学問体系といいましょうか。ところが鎌倉時代あたりに、各宗派の仏道が特化したんです。ですから、たとえば、浄土真宗の教えをずっと聞いていても仏教全体はわからないということも起こります。

というわけで、「仏教」とひと口に言っても、どの順序でお話ししようかちょっと迷ってしまいます。

池上 なるほど。そこをあえて、そもそも仏教とは何かという話から、日本的な宗教、さらに浄土真宗まで、無理やりうかがっていきたいんです(笑)。

仏教には世界の始まりも終わりもない

池上 最近、若い人と話をしていると、身近なはずの仏教をあまりにも知らないんですよ。いわゆる一神教のユダヤ教やキリスト教、イスラム教のように、この世界をつくった神様という存在が、仏教にはいないんだよと言うと、「はあ?」と驚いています。仏教には世界創造神話がなく、この世界がそもそも存在していることを前提にしていますよね。

釈 そうですね。仏教は「すべてを語り尽くそうとしない」という、ちょっと珍しいタイプの宗教だと思います。

たいていの宗教は、この世界の始まりから終わり、この世界の仕組み、さらには見えない世界も含めてすべてを説明しようとするのですが、仏教は、経験則や臨床事例から大きく外れている領域を語ることには慎重です。たとえば、世界の始まりとか、宇宙の終わりとか、そういった問題については基本的に語りません。また、いくら語ろうと、万人が納得しえないような領域に関しても、場合によっては態度を保留したりします。たとえば、死後の世界や来世などの問題は、すべての人がひとつの答えを共有することはできません。来世などないといくら言っても、あると信じる人は必ずいますし、いくら来世があると説いても、ないと思う人は必ずいる。

　だから、そういうことはいったん括弧に入れて、まず、今、しなきゃいけないことをし

Q 創世神話

　この世界や人間はどのように出現したのか。今ある世界はいかにしてこのようになったのか。そうしたことを説明する神話を、創世神話、あるいは創造神話と言います。『旧約聖書』では、神が六日間でこの世界を創造したとされています。バビロニアの神話では、マルドゥク神が獰猛な女神ティアマトを倒し、その身体を裂いて天と地とを作ったといいます。中国には、混沌のなかに生まれた巨人、盤古の死体がこの世界になったと伝える神話があります。ギリシア神話では、混沌から大地や夜など世界の一部をなす神々が生まれてきた系譜が語られます。日本の神話も、混沌から世界が生まれてきた過程を神々の系譜として語っています。

ろ、というような態度をもっています。つまり仏教は、プラグマティックといいますか、実践主義的な宗教なんですね。

ですから池上さんがおっしゃるように、仏教は、創世神話というものを持っていません。釈迦がどういう世界観に立っていたか、どういう来世観に立っていたか、はっきりしないところも多いんですよ。ひょっとすると、ヒンドゥー文化の世界観や来世観をそのまま肯定していたかもしれないし、かなり否定していたかもしれない。

さらに、仏教経典が成立する頃には、ヒンドゥー文化も含めて、各地域の宗教、習俗、文化なども仏教のなかに融合していきます。かなり裾野が拡大するので、ますます多面体

Q 釈迦と仏陀

釈迦の本名は、「ゴータマ・シッダールタ」です。インド北部（現在のネパール）で、釈迦族の王の息子として生まれたことから、釈迦と呼ばれます。ブッダとも呼ばれますが、それは古代インドのサンスクリット語で「真理に目覚めた人」という意味です。漢字では仏陀とあてますが、これは「悟りを開いた人」という意味です。ですから仏陀とは、悟りを開いてからの呼ばれ方になります。

釈迦は二十九歳のときに出家し、苦行を重ねた末に、これでは悟りは得られないと気づいて、苦行を放棄し、三十五歳のときに悟りを開いたと伝えられます。その教えを弟子たちが伝え、仏陀の死から二、三百年の後になって文字で書き残されました。

的宗教になっていきました。

池上　いきなり高度になりました（笑）。ちょっと説明を入れましょう。ヒンドゥー文化というのは、ヨーガの行とか菜食主義とか、牛の崇拝、カースト制などでよく知られている、インドやネパールの文化ですよね。その基本をなしているヒンドゥー教は、ヴィシュヌ神やシヴァ神をはじめとする多くの神々を信仰している多神教ですね。輪廻《りんね》や解脱《げだつ》というのも、もともとヒンドゥー教の考えだった。釈迦は、このヒンドゥー文化のなかで生まれ育ち、修行したわけですね。で、釈さんが今おっしゃったのは、そのヒンドゥー教の世界観について、釈迦がどう考えていたかは定かでないと。なぜなら仏教が、世界の始まりな

Q

末法《まっぽう》思想

釈迦が亡くなった後、千年（あるいは五百年）は、釈迦の教えが正しく伝えられている「正法」の時代。次の千年は、修行が正しくないため悟りが失われる「像法」の時代。その後の一万年は、悟りも修行も失われ、ただ教えだけが伝わっている「末法」の時代がくる。この歴史観が末法思想です。その後に、教えすら絶えた「法滅」の時代がくるとされています。

しかし大乗仏教の『涅槃経』では、末法の中から再び仏法が出現すると説かれます。また、五十六億七千万年後に弥勒菩薩が仏となり現れるという信仰もあります。

末法思想は、日本では平安時代末頃の動乱期に広まって、鎌倉新仏教の成立にも大きな影響を与えました。

どについては語らないという態度を持っていたからだということですね。

同じように、一神教の場合ですと、必ずこの世の終わりがあることを前提にしていますが、仏教にはそれもないですよね。

釈 そうですね。末法《まっぽう》思想のように、「この世界がだんだん崩れて、また再生する」という立場はあるのですが、それでもやっぱり構造は円環的ですね。崩壊と再生を繰り返すのですから。

神の創造による始まりがあり、やがて終末を迎えるといった直線的構造の宗教とは対照的だと言えるかもしれません。

仏教では癒されない？

池上 輪廻もそうですよね。その中でまた生まれてくると苦しみを味わわなければいけないから、輪廻から出て解脱する。

若い人に、「二度と生まれ変わらないことが仏教の目指す理想なんだよ」と言うと、びっくり仰天します。「えーっ、それが仏教の理想なんですか」「極楽浄土に行くことが望みなんじゃないんですか」と。まあ、極楽浄土と、天国の区別も曖昧になっているんですけども。そう思っている人たちが多いですよね。

釈　はい。そのへんは、仏教が説くところは、かなり非人間的といいますか、近代のヒューマニズムとずいぶんかけ離れたところがあると思います。喜びも悲しみも苦しみも全て捨象してしまった状態を理想とするのですから。そして、解脱すれば、二度と生をうけることはない。この世に生まれないことを目指すのですね。でも、まあ、そのような解脱観に対して、あえてこの世界へと戻る「菩薩道」が主張されるようになるのですが。

初期の仏教が語る輪廻や解脱の道は、現代の生命観とか人間観ではなかなかピンとこないところです。最近、よく「仏教で癒される」といった言説を目にしますが、「いやいや、仏教はそんなに優しくないよ。もっと恐ろしい体系ですよ」って言いたくなる気持ちはありますね（笑）。

池上　なるほど。またもや解説をしますと、いわゆる一神教のユダヤ教、キリスト教、イスラム教の場合は、そもそも唯一絶対の神が、この宇宙と世界をつくり、人々をつくった。そして人々は、死んだ後、この世の終わりが来るのを待つ。やがて、この世の終わりが来たときには、神が一人一人に、生前いかに神を信じ、よい行いをしたかによって、審判を下す。よき行いをしていた者は天国で永遠の命を生き、そうでない者は地獄で苦しみを受ける。

　これに対して仏教は、輪廻の中で生まれ変わってくることは苦しみであるので、そういうことがない状態、それが解脱であるとして、輪廻の輪から外へ出ていく。それが、いわゆる涅槃《ねはん》に入るということですよね。

釈　そうです。その状態が涅槃です。

池上　そこでわかりにくいのが極楽浄土のイメージなんです。極楽浄土も、実は輪廻の中の一環というふうに考えていいんですか。

釈　いえ、輪廻の外にある「仏の国」です。輪廻から脱出した仏陀は、それぞれにブッダ・ワールドが成り立つこととなります。これを身土不二《しんどふに》と言います。

池上　また難しいキーワードが出てきまし

Q 輪廻《りんね》

　輪廻とは、前世で行ったこと（＝カルマ）にしたがって、さまざまなものに生まれ変わることを言います。

　インドでは、こうした生と死との繰り返しを苦とし、再生しないこと、すなわち解脱が理想とされました。

　その考えは、ヒンドゥー教の前身であるバラモン教に、すでにみられたといいます。インドのカースト制の根拠となっている思想でもあります。

　仏教は、輪廻の考えを教義の前提としています。ただし仏陀自身については、輪廻説を前提にしていたとも、教えを伝えやすくするために語ったにすぎず、本当は否定していたともいわれていて、解釈が分かれています。

た。身土不二といいますと、因果応報ともいわれるような、これまでの行いの結果と、その身の置かれている世界とは等しいという考えですね。つまり仏であれば、それにふさわしい、よき世界におられるということになるわけですか。

釈　はい。阿弥陀仏は西方浄土、阿閦仏《あしゅく》は東方妙喜浄土、薬師は瑠璃光浄土、釈迦の霊山浄土と、いわばそれぞれの仏陀が理想の仏教国と共にあるといった宗教体系があるわけです。そして、そこへと生まれようという信心が成立します。この世界では悟りを開けない人でも、浄土へと生まれることができれば、仏陀となることができる。成仏できる。

池上　浄土に行けば、そこで悟りを開いて解脱できるよ、ということですか。凡人にとっては。

釈　そういうことです。ただ、先ほど言いましたように、解脱してしまうのではなく、人々を救済するためにこの世界へと戻る「菩薩道」が説かれます。浄土真宗の場合はこれを「還相廻向《げんそうえこう》」と呼びます。

池上　つまり菩薩というのは、解脱しようと思えばできる身でありながら、あえて衆生を救済するために、この世に戻ってきた人たち、という位置づけですね。

釈　そうですね。そういう面もありますし、悟りを求める者はみんな菩薩だ、というふうにも言います。だから、悟りを求めて修行をしている人は菩薩の道を歩んでいるとも言いますし、この世に戻ってきた人も菩薩というような、ちょっと多義的な言葉になっています。

池上　たとえばチベットの宗教指導者、ダライ・ラマというのは、あえてこの世に戻ってきた菩薩ですね。

釈　ダライ・ラマはそうなんです。あえてこの世界にとどまって、解脱せずに人々を救済する。

「とらわれない」のが究極目標

池上　日本に入ってから仏教はずいぶん変わったんですよね。

釈　はい。もともと仏教はヒンドゥー文化を土壌として誕生しました。輪廻からの解脱という構図や、聖者は出家するという仕組みも、ヒンドゥー文化圏の特徴です。

ここで少し仏教のメインラインをお話しします。仏道は、まず「生きるということは、苦である」といった自覚から始まります。ずいぶん悲観的で厭世的な印象を受けますが、この場合の苦とは「思い通りにならない」の意です。生きるということは、思い通りにならない。これは誰もが直面せざるを得ない苦悩です。すべてを思い通りにできる人などいません。自分の思い通りに現実をコントロールすることなどできない。

そこで、「思い」の方を調《ととの》える。「思い（執着）」が強ければ強いほど、現実との落差は大きくなります。つまり苦悩が強くなるわけです。身体を調え、思いを調え、言葉を調え、生活を調えるトレーニングを実践することによって、執着を小さくすれば、苦悩も小さくなる。究極的には、執着をなくしてしまえば、苦悩もなくなってしまう地平を目指します。仏教とはそういう宗教です。

池上　インドからタイやミャンマーに伝わった上座部仏教（かつては小乗仏教と呼ばれていた）では、出家するのが信仰の本来のあり方ですよね。それに対して大乗仏教、特に日本では、出家しなくても在家でもいいんだということになってきますよね。

釈　はい。大乗仏教の発達には、出家という生活形態に閉じてしまうことへの疑問があります。悟りを開くとかいって、社会や他者から離れてしまって、それはどうなんや、というツッコミです（笑）。

仏教の目指すところは、「智慧と慈悲の獲得・実践」のはずなんですから。社会と関わり、他者と関わり、苦悩の中に身をおいてこそ本当の仏道ではないのか、それが大乗仏教

■仏教伝来の道すじ

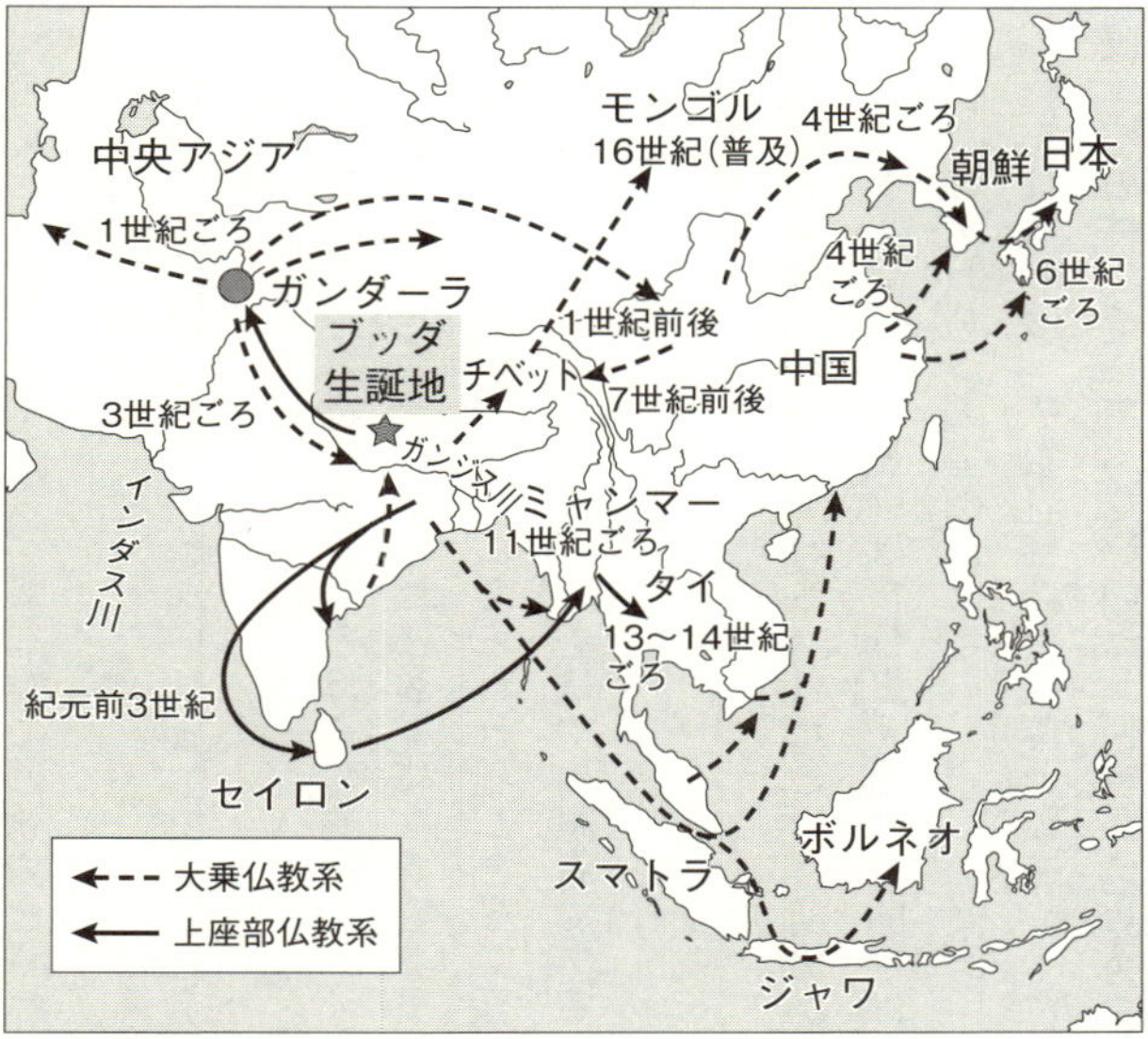

池上彰『国際関係がよくわかる宗教の本④』岩崎書店、『詳説　世界史』山川出版社より作成

▲ミャンマーの壮麗な寺院

▲チベット仏教の指導者ダライ・ラマ

▲奈良・東大寺の大仏

ムーブメントです。ですから、基本的には社会と関わろう、他者と関わろうとする力が上座部仏教に比べて強い。

大乗仏教の理想は「とらわれないこと」です。社会や他者に関わるんだけど、とらわれない。拘泥しない。

『維摩《ゆいま》経』に出てくる維摩居士などはその典型です。釈迦の在家弟子である維摩さんは、まったく普通に社会生活を営むおじさんなんですよ。酒場に行ったり、盛り場をうろうろしたりもするのですが、そこにとらわれることなく暮らす。でも、仏陀や菩薩も尊敬している人なんですよ。こうなると、もはや出家者である必要性もなくなります。

日蓮の国家論

池上　なるほど。社会と関わるべきだという前提があるかどうか。つまり、大乗仏教から見れば、上座部仏教の連中は自分さえ悟りを開けばいいと思っているけど、そうじゃない、社会との関わりが大事だよ、と。

しかしそれならば、仏教者は社会改革運動をやったり、もっと政治に関わったりしてもいいはずなのに、そうでもないのは、何事かにとらわれちゃいけないと考えるからですか。

釈　そう考える傾向もありますね。また、仏教では社会を変革させようとするよりも、日常生活の自分の心と体を調える方に重心を置きます。

ただ、日蓮さんのように国家論を持つ人もいます。仏教の中には、およそ人間の考えつくものすべてがある、そんな気がします。とても振り幅が大きい体系です。

ちなみに、日蓮の思想には「苦難の神義論」があります。これは仏教では珍しいですね。

宗教社会学者のマックス・ウェーバーによれば、宗教の教義には「幸福の神義論」タイプと「苦難の神義論」タイプとがあります。

前者は、なぜ私は幸せなのかを説こうとするタイプの教義です。たとえば、愚痴を言って暮らしているけど、本当は、君、いま幸せじゃないか、おかげを喜びなさい、と説く。これによって精神が安定しますよね。一方、後者は、なぜこんなひどい目にあうかを説明するタイプの教義。キリスト教はこの傾向が強い。迫害を受ければ受けるほど、自分の信仰は正しいという理路をもっています。だから、どんな困難に遭っても、世界の果てまで伝道していく。

ところが、仏教にはあまりそういう苦難の傾向がありません。キリスト教と伝道の理念が異なるんですね。ほら、三蔵法師もわざわざインドまでお経を取りに行くでしょう。あれ、キリスト教だったら、持ってきてくれますよね、きっと。

池上　たしかに（笑）。宣教師のほうから来るでしょうね。

釈　仏教は、真剣に道を求める者にのみ、門を開くという性質を持っています。たとえば、すでに形式化していますけれど、禅の修行道場に入門する時だって、なかなか中に入れてくれないんですよ。どれほど本気で求めているかが問われる。

そんな中、日蓮さんには「苦難の神義論」のメカニズムがある。法華の信者は迫害を受けるという『法華経』の一文を大きく展開して、自分がこんなに迫害を受けているのは、自分が突き進んでいる道が間違っていないからだという信念に変換していくんです。だから、日蓮系には政治に関わる人が多い。伝道にも情熱的です。

ついでに言いますと、法然（浄土宗）とか親鸞（浄土真宗）の仏教は、社会の枠組みからこぼれる弱者や、厳しい仏道を歩めない人のための仏教ですので、こちらはやや一神教的な性格をもっています。弱者の宗教って、一神教的になる傾向があるんですよ。

池上　たしかに、創価学会は日蓮正宗の信徒団体が発展したものですけれども、折伏をしたり、あるいは創価学会インタナショナルという形で、海外にどんどん布教したりして、北米、南米で、けっこう信者を増やしていますものね。異色ですよね。

以前ある人と、日本はなかなかグローバル・スタンダードをつくれないという話になったんです。欧米人は、これが国際基準だよと提示する。日本はその国際基準に合わせることしか考えていない。どうしてかというと、欧米の場合はキリスト教の布教の経験がある。これが信じるべきものだよと世界に訴えて説得することを、ずうっと続けてきた歴史がある。日本は逆に受け入れる側ばかりだった。そういう歴史の違いがあるんじゃないかと言われて、なるほど、そういう見方があるのかと思いましたね。

釈 それはあるでしょうね。私も、イスラムやクリスチャンの方と話すと、ときどきその強さにちょっと圧倒されますね。神に支えられた自我ほど強いものはないな、と思います。

日本は明治になって、欧米スタイルの近代を取り入れましたよね。実は江戸時代すでに、封建社会ではあったものの、政教分離や貨幣経済の流通など、ある程度は近代の要素がそろっていた。でも、全てをいったんドブに捨てて、欧米型の近代を取り入れました。そうすると、やっぱり欧米が常に先輩ということになる。

池上 なるほどね。鑑真《がんじん》和上のように来日する例はありますけども、基本的には、日本人は仏教を学びに、お経を知りたくて、中国へ行きますよね。

釈　そうですね。特に律令制度ができるときは、先進国の証として、大陸の仏教文化をとり入れています。

大阪の四天王寺のあたりはかなり高台なんですけど、あそこまで海だったんですよ。大陸から船が着くと、四天王寺の大伽藍がバーッと見える。日本は大変な先進国だと見せつけるために、あの場所につくったと思われるんですね。

池上　ほほう、そうなんですか。

釈　仏教を導入することで、世界の先進国と肩を並べる。ちょうど明治時代にキリスト教文化を入れたのと同じようなことが起こったんだと思います。

池上　第二次世界大戦後は、アメリカの文化を受け入れて先進国になろうと頑張った。何となく似ていますね（笑）。

釈　同じことを繰り返してますね（笑）。

池上　その結果、日本独自の仏教文化を築いたのは、鎌倉以降なんですね。

釈　はい。それが現代まで大きな影響を持っています。

「南無阿弥陀仏」とは

池上　お仏壇にむかうと「ナンマンダブ」と意味もわからず唱えますよね。そもそも「南無阿弥陀仏」って、どういう意味なんですか？

釈　ひらたく言うと、阿弥陀仏におまかせします、という意ですね。南無は、サンスクリットのナマス、あるいはパーリ語のナモの音写です。意訳すれば、帰依や帰命となります。

阿弥陀仏の阿弥陀は、アミターバとアミターユスという二つの言葉からできていまして、アミターバが限りない光、アミターユスが限りない生命という意味です。

南無阿弥陀仏は「この世界に満ち満ちる、限りない光と限りない生命の仏さまにおまかせして生き抜きます」という、自分の生きる姿勢を表わす言葉になります。自分の生きる姿勢を常に口にして人生を歩む「信仰告白」は、世界の多くの宗教で見られます。私は、人類学的に見ても、とても重要な行為だと思っています。

池上　イスラムというのも「神に帰依する」という意味ですから、「南無」と同じですね。

釈　ユダヤ教の「シェマ」や、イスラムの「シャハーダ」などが有名です。

池上　ところが浄土宗をひらいた法然は、信仰告白というだけでなく、ただひたすら

「南無阿弥陀仏」と称えてさえいれば極楽往生できる、と説きました。この教えはどういうことなんでしょう。

釈　もともと念仏とは、仏を念ずる修行です。たとえば、最初は落ちる夕日をイメージする瞑想を実践する。次には、水面をイメージする。次第にステップアップしていけば、ついには仏と対面する。このような三昧へのトレーニングは、大乗仏教の柱です。仏を念ずることは出家者しかできない大変な修行なので、それができない者は、せめて称名念《しょうみょうねん》仏《ぶつ》（仏の名を称える）せよ、とされていた。ただ、これはメインラインじゃなくて、ブランチライン、脇道なんです。

ところが法然さんはこの主役と脇役を入れ換えてしまった。仏の名を称えることこそが主役だと説くんですよ。なぜかと言えば、こちらの道は誰でも歩めるからです。ここから、南無阿弥陀仏と称えて、仏の慈悲におまかせする仏道が成立します。

池上　つまり、落ちこぼれのために用意されていた簡単な方法を、主流のやり方にしてしまったわけですね。

では、日蓮宗の「南無妙法蓮華経」の意味はどういうことですか？

釈　日蓮の唱題目は、『妙法蓮華経（法華経）』に帰依しますということですね。仏の名ではなく、経典のタイトルに「南無」をつけて唱える形態は、日蓮さんのオリジナルですね。注目すべきは、親鸞だけが、「おまかせします」ではなく「まかせてくれよ」と仏さまから呼ばれているのだとしています。親鸞の仏道が「絶対他力」と評されるところです。

池上　ああ、なるほど。それが「他力本願」ということですね。

それにしても、お経を聞いていても意味がわからないんですけれども、それというのも、漢字をそのまま音読みしているからですよね。わかりやすく解説するのが仕事の私から見ると、信じられません（笑）。聖書がそれぞれの国の言葉に訳されて読まれるように、お経もきちんとわかるように訳すべきじゃないかと思われませんか。

釈　南無阿弥陀仏という念仏は、世界各地でナムアビタフウとかアビトフウなどと称えられています。南無阿弥陀仏は音訳です。これが意訳になると、ナマスが帰命になって、阿弥陀が限りない光という意味ですから、不可思議光仏とか無碍光仏。限りない命は、無量寿仏となりますから、昔は、「帰命無量寿如来」とか「南無不可思議光」、「帰命尽十方無碍光如来」などとも称えていたんですよ。まあ、これなどは邦訳の称名ですね。

でも、今はあまり一般的ではない。お経も、ほとんどの宗派でちゃんと日本語訳があるんですけど、あまり広がらないんです。宗教学的に言えば、日本人は戒律嫌いの儀礼好きなので、戒律はどんどん省略するが、儀礼的な場の雰囲気は好む。だから日本語のお経でお勧めすると有難みがなくて広まらないとも言われています。

個人的な意見ですけど、どうも日本人は、「場」を感じる宗教性をもっているのではないか。たとえば宗教にまったく興味のない人でも、お寺の本堂で座っていると何とも言えない気分になるとか、あるいは教会で美しい賛美歌を聴くと、すごく静謐な気分になる。その場の宗教性を感じる力がある。だから、無宗教を標榜しているからといって、宗教性が貧しいわけではなく、非常にアンテナの感度がいいんじゃないかと思うんです。

池上 たしかに日本人は、ヨーロッパに行くと、教会がプロテスタントかカトリックか、あるいは正教かわからなくても、とりあえず入ってみる。そして何となく聖なる気分にひたることがありますね。ちょっと祈ってみたりして（笑）。

釈 ありますよね。それは別に間違っていない気がするんですね。それが日本人の宗教の特性じゃないかなと思うんですよ。

西行に、「何事のおはしますをばしらねどもかたじけなさに涙こぼるる」という、伊勢神宮を詠んだ歌がありますけれども、きっと旅先で出会った道端の小さな祠にも、そういう涙を流したんじゃないかと思うんですよ。何という神様かもわからないままで。そういう感覚が日本人にはあるような気がするんです。

ですから、お経の意味にあまり関心が向かないようなところがあります。思想や信条よりも、関係性が先立つ日本文化の体質にも理由があるかもしれません。意味のわからないお経をあげるというのは、まったくの儀礼ですよね。儀礼というのは、思想や信条よりも関係性が先立つ場です。たとえば私だって、友だちのクリスチャンが亡くなれば、教会でのお葬式に行きますし、そこではそれなりの立ち居振る舞いをして、献花します。つまり、自分の信仰よりも、その場を尊重するということです。それぞれの信仰とか信条をいったん留保して、その場を成立させる。そういうものだと思ってるから、とくにお経の内容を知らなくても気にならなかったんじゃないかと思うんです。

しかし現代人は、意味のわからない状態にずっと身を置くことを苦痛に感じますし、場を感じる力もずっと錆びてきていると思いますから、やっぱり内容がわかったほうが感銘も受けるでしょうし、受け入れやすくなるでしょうね。だから、これからの儀礼は変わってくるかもしれません。

池上　お経の中では、とりわけ『般若心経』の人気が高いですよね。やはり短くて覚えやすいからでしょうか（笑）。

釈　そうですね。漢字にすると二百六十二文字ほどしかありません。大乗仏教経典の中でも『般若経』系の経典群は初期に成立しているのですが、その厖大な分量のエッセンスを表現したのが『般若心経』です。

面白いのは、前半の部分で伝統的な仏教の前提をぜんぶ否定してしまっているところです。「無受想行識」「無無明」「無無明尽」「無老死」なんて出てくる。これ、仏教思想体系を全否定ですよ（笑）。煩悩も悟りもない、すべては虚構だ、そんな感じです。なんてラディカルなんでしょう。

さらに、『般若心経』のラストは、「羯諦《ギャーテイ》。羯諦《ギャーテイ》。波羅《ハラ》羯諦《ギャーテイ》。波羅《ハラ》僧《ソー》羯諦《ギャーテイ》。菩提《ボジ》薩婆訶《ソワカ》」と、マントラ（真言）となっています。これだって、『般若心経』の語る内容自身を否定しているような気がするのです。「結局、言葉では語れないのだ」なんて言われているようで。なんだか、二重三重に否定を繰り返すような構造になっているのではないかと思います。

池上　否定を繰り返して、次々といく。まるで哲学の弁証法のようですね。

釈　そうなんです。仏教はなかなかスッキリさせてくれないところがあります。「あ、わかった」といった瞬間、必ず横から「違う」と言ってくるシステムになっているような。

それが宗教的な人格を鍛錬するのでしょう。

戒名は自分でつけられる

池上 ところで、釈さんの「釈」というお名前は本名ですか？

釈 本名です。徹宗も本名です。生まれたときから、戒名のような名前で暮らしているんですよ（笑）。浄土真宗は受戒しないので法名というんですけど。僧侶を表す「釈氏」からきている名字ではないかと思われます。ときどきありますよ。釈由美子という女優もいますよね。

ところで、戒名と言えば死者につける名前と思われていますが、本来は出家者としての名前です。中国で起こった「出家者は釈尊の弟子であるから釈を名乗ろう」というムーブメントからきています。これが転じて、亡くなった人を僧侶に仕立て上げて葬式をする形態になっているのです。かつては、遺体を剃髪したり、法衣を着せたりもしました。

いずれにしても、「戒名料」などといったものが発生しているのは、どうかと思います。どう考えてもおかしな話です。それよりは、息を引き取ってからではなく、仏教者の自覚をもって、ブディストネームとして、戒名や法名や法号をつけてもらうほうがいい。そうすれば、そんなに費用も必要ありません。仏教者の自覚もなしに、死後に名前をつけられて、お金を取られたら、納得できないでしょう。場合によっては自分でつけてもいいんじゃないでしょうか。

池上　自分で戒名をつけていいんですか？

釈　ええ。池上さんであれば、とても聡明な方なので、釈彰智とか（笑）。釈○○というごくシンプルな基本型でいいんですよ。そうなると、普段から仏教や寺院や僧侶とつき合う必要があります。お葬式でしか関わらないというのではなく、ぜひそうしていただきたいところです。

池上　なるほど。その場合、自分が仏教徒であるという自覚をちゃんと持たないといけないということですね。

釈　はい。まあ、仏教者だけでなく、なんらかの通過儀礼を受けて、自分の生死の姿勢を明確にすることは大切だと思います。イスラムだと、ムスリム（イスラム教徒）たちの前でシャハーダを唱えれば、ムスリムとなります。

仏教の場合、三帰依という通過儀礼によって仏教者となります。日本語だと「南無帰依仏、南無帰依法、南無帰依僧」と三帰依文を唱える。パーリ語だと「ブッダン・サラナン・ガッチャーミー、ダンマン・サラナン・ガッチャーミー、サンガン・サラナン・ガッチャーミー」と唱える。仏法僧に帰依しますという意味です。

池上　証人は要るんですか。

釈　基本的には師が必要ですが、同じ仏道を歩む仲間と共に唱えればいいでしょうし、自分と仏さまだけでもいいと思います。

まあ、キリスト教やイスラムに比べれば、仏教という宗教はあまり明確な自覚が求められないところもあって、無自覚で肌感覚的な面もまた魅力ではありますが。

池上　これから仏教は、どうなっていくと思われます？

釈　世界三大宗教に挙げられているわりには、仏教の規模はかなり小さい。信者数も全世界の数パーセントです。しかし、人類にとって仏教がもつ意味は大きいと思います。特に行き詰った近代社会に暮らしている人にとっては、多くのヒントがあると思います。

また、日本はずいぶん豊かに仏教の花が咲いているところですので、さまざまに姿を変えながらも、仏教の思考や技法や文化に支えられて行くのではないでしょうか。実は日本ほど、仏教の各体系が続いている国は珍しいんですよ。上座部仏教も、大乗仏教も、密教も、日本オリジナルの仏教もある。奈良仏教なんかは、今でもお葬式しないんですよ。奈良仏教のお寺のお坊さんが死んだら、曹洞宗とか浄土宗のお坊さんに来てもらって、お葬式してもらっています。日本仏教はかなり変形したものではありますが、もともとの奈良仏教などは、世界のスタンダードの仏教に沿っています。その気になれば、ほとんどの仏教の体系と出会えるところは世界でも日本くらいでしょう。

また、日本人の衣食住、芸術、芸能など、さまざまな面において、仏教が深く根をおろしています。たとえば、我々が湯船につかる習慣や歯磨きなどの習慣は、仏教に由来するようですし、「いろは」や「あいうえお」などの言語の面においても仏教の影響が強い。我々のＤＮＡの中には仏教が潜んでいるんじゃないでしょうか。それを賦活する、エネルギーを吹き込むことによって、私たちは生き抜く力、死に切る力を活性化する気がします。逆に、「お寺や僧侶による宗教サービスを受ける」などといった図式になってしまうと、仏教ＤＮＡは賦活しません。

池上　仏教の力を利用してやろう、というくらいでいいんですね。

釈　仏教の体系は、人類の知恵の結晶なんです。仏教の教えは、経験則や臨床事例や身心のメカニズム、自己分析や他者観察によってできている。だから、仏教者ではなくても、その説かんとするところはかなり納得できるはずです。ある意味で、信じていなくても活用可能な部分があるという、稀有な宗教なんです。

池上 難しい哲学書ではなく、実例たっぷりの人生の参考書なんですね。

釈 そのうえ、釈迦は「私の教えは、川を渡る筏だ」と語っています。川というのは苦悩の人生をあらわし、そこを渡るための筏だというわけです。しかし、ひとたび川を渡ってしまえば筏にはもう用がない。捨てていけ、と釈迦は説く。筏に固執して、向こう岸でも筏を担いでいるやつはおかしい。つまり、究極的に仏教さえも捨てていけということでしょ。すごい話じゃないですか。ちょっとない宗教だと思います。

そういえば、ある哲学者の方が、「日本が世界に対して、オリジナルで発信できる思想は、鎌倉新仏教とマンガ・アニメ文化だ」と語っていました。私は、日本仏教の悪いところもよくわかっていますが、高いポテンシャルがあるとも思っています。

池上 なるほど。仏教には生きるヒントがまだまだ隠されていそうですね。ありがとうございました。

■インタビューを終えて

釈とは、そもそも僧侶のこと。釈さんは、お坊さんとして理想的な苗字を持っています。浄土真宗のお坊さんながら、仏教全般について一般向けに解説もしています。仏教について素人が質問する相手としては理想的……と勝手に考え、幼稚な質問で釈さんを困らせました。「いい質問ですね」とは言ってもらえませんでした。

日本に伝わった大乗仏教は、出家することを前提としている東南アジアの上座部仏教とは様相がかなり異なります。信者に出家を強いることがありません。それは、社会と関わり、他者と関わることこそが仏教なのだから、という考え方が根底にあるのだそうです。

とはいえ、大乗仏教の理想は「とらわれないこと」。私たちは、若い頃には愛欲にとらわれ、会社組織の中では出世欲、金銭欲に動かされ、退職してからは名誉欲に動かされ……と、ひたすら「とらわれる」人生を送りがちです。

しかし、思いを調え、執着を調えれば、苦悩もなくなる。仏教は、そのために役立つし、役立ちさえすれば、「究極的に仏教さえも捨てていけ」という教えだとか。そのラジカルさには圧倒されます。仏教で癒されるというが、実は「もっと恐ろしい体系」だと釈さんは解説します。さて、もっと知るのが怖い気もします。

第4章 仏は「生・老・病・死」を救ってくれますか？

仏教がわかる！❷

高橋卓志（臨済宗神宮寺住職）

1948年、長野県生まれ。龍谷大学文学部卒業、海清寺専門道場で禅修行の後、76年神宮寺副住職。90年から住職。著書に『寺よ、変われ』（岩波新書）など。

池上　ご住職は、長野県松本市の臨済宗のお寺、神宮寺の跡を継がれて、寺を拠点としつつも、非常に広い活動をなさってこられましたね。尋常浅間学校といういのちをテーマにしたイベントを十年間続けられ、チェルノブイリの放射能汚染地域の医療援助や、タイのＨＩＶ感染者の支援など国際的なＮＧＯ活動もされています。

地元の松本市では障害者支援や、諏訪中央病院とともにホスピス運営にあたられ、さらに地域での人生、生老病死に一貫して関わっていけるようなトータル・ケアの仕組み作りもなさっておられます。これほど広範な活動をされているのは、それらがみな仏教の課題だとお考えだからでしょうか。

高橋　生老病死には必ず苦しみがついてきます。お釈迦さまが生・老・病・死の四門を出ていって、そこで苦しみを見、その苦しみを何とか救わなければと思われたのが、仏教の原点です。しかし現代の伝統仏教はその原点を忘れ去っているような気がします。

池上　今、とくに若い人たちは、自分の家のお寺が何宗なのかもわからなくなってます。念仏唱えるときは、南無阿弥陀仏ですか、南無妙法蓮華経ですかと訊いても、「えーと、さあ、どっちだったかなあ」って。

高橋　そういう方が多いですね。お坊さんでも宗派による違いをよくわかってない人がいますよ。私は臨済宗ですが、同じ禅宗の曹洞宗とどこが違うかを、完全に説明できるお坊さんは少ないでしょう。

それは、お坊さんの世襲が普通になり、寺が家業化していることに一因があるかもしれませんね。世襲率は梨園の次ぐらいに高いですから。

Q 生老病死の四門

釈迦は若い頃に、城の東の門から出て老人を見、南門から出たときに病人を見、西門を出たときには死者を見て、これらすべては生あるがゆえの苦しみなのだと理解し、人生の無常を感じたといいます。そして北門から出たとき、一人の出家者に出会って感動を覚え、自分も出家しようと思うようになったと伝えられています。

この出来事は「四門出遊」と呼ばれています。

生・老・病・死という四苦の源には「欲望」があると、釈迦は考えました。この「欲望」を減らしてコントロールする「智恵」を得ることが、「悟り」に通じ、「悟り」を得られれば、人生の苦しみから抜け出せると考えました。

家業になって失ったもの

池上　でも、寺は家業というのが今では当たり前になってしまっていますね。

高橋　家業というだけでは、なかなか発心《ほっしん》（仏道に志すこと）は生まれないと私は思います。そこが大きな問題ではないでしょうか。

浄土真宗はもともと世襲が許されておりますけど、ほかの宗派の多くは一八七二年の太《だ》政官布告《じょうかんふこく》にある「僧侶、肉食妻帯蓄髪等、勝手タルベシ」以後、世襲が公になっています。これは明治政府が仏教を骨抜きにする政策だったと言われています。江戸時代以前には比叡山や一向宗などが体制に反抗しましたから、そういう勢力にならないように、坊さんたちの権威をなくそうとしたのですね。

池上　たしかに、それまでは肉食や妻帯をせず、孤高を守ることによって信者の信頼を集めていたわけですよね。

高橋　タイやカンボジアの上座部仏教がそうですね。上座部仏教には二百を超える戒律（仏教者の生活規範）があり、その規範を厳格に守ることでその人の聖性、スピリチュアリティーが周りの人に自然に影響を及ぼしていく。それゆえに信者さんたちはお坊さんを尊敬するという関係になっているわけです。

ところが、日本のお坊さんは世襲化したことで五戒（不殺生戒《ふせつしょう》・不偸盗戒《ふちゅうとう》・不邪淫戒・不妄語戒・不飲酒戒《ふおんじゅ》）も守れず、同時にお坊さんが本来なすべき仕事もわからなくなっていますね。

親から「寺を継げ」と言われ、また檀家さんたちからも、先祖供養のために寺が存続してもらいたいから歓迎されるわけですよね。本来は弟子を何人か育て、その中から後継者を選ぶのが筋なんですが、いまは弟子などとても集まらない状態です。寺に魅力がないからです。そこで、仕方なしに自分の子供に継がせることになるんです。

池上　本来ならばお坊さんは、一人ひとりが仏教に目覚めて、お釈迦様の教えを守っていこうと思い、いろんな宗派があるけれども、自分はどこだろうかと考えて、そこに入門する。そして結果的に寺を継ぐこともあると。それが正しい姿ですね。

高橋　本来の姿です。

池上　いまそれが実践されているケースはどのくらいあるんでしょう。

高橋　いや、ほとんどないのではないでしょうか。

各宗派でお坊さんになる資格が決められていて、その資格さえとれば住職になれるわけです。いったん住職になってしまえば、再教育や再修行の必要がないのが普通です。そのことから派生する諸問題が人々の信頼を失わせています。

「私はいったい何のためにお坊さんになったのか」という問いや意識が不足しているのではないでしょうか。これだけ現代社会が困難な中にあり、人々は苦しんでいるにもかかわらず、なぜ、それらに対して、日本にある八万とも言われている寺が対応しないのか。悩みや苦しみ、あるいは宗教的関心を持つ若者たち、これから困難な老・病・死を迎える六百数十万人の団塊世代、これらの苦の当事者をいまの伝統仏教は受け入れる素地がありません。このような状態ではこれから寺離れが激しくなってくると思いますね。

葬式（に坊さん）はいらない

池上　なるほど。ご住職より私は二つ年下なんですが、やはり団塊の世代が次第に死を意識せざるを得ない年齢になってくると、葬式のことを考えるようになります。そうすると、葬式はいらないとか、いやいや、やっぱりいるんだとかいう話になってくる。そういう話をしていると、そういえば葬式って何のためのものなのかと考えざるをえません。いろいろな葬式を経験しますと、結局は、残された、生きている人のためのものなのかなあという気もしてくるんですが、それについては、どのように考えておられますか。

高橋　今やっているような形式的な葬式だったらやらないほうがいいと、私は思います。

池上　葬儀業者に丸投げするような葬式ということですよね。

高橋　ええ。葬儀社主導の中で、お坊さんは決められた時間だけお経を誦《よ》むという役割だけで、亡くなった方に向き合うこともなく、後に遺された方の悲嘆を緩和することもないのが現状です。悲しみに包まれた人々に、宗教者が向き合わない葬式ならば意味はないということです。島田裕巳さんの『葬式は、要らない』には、実は『葬式（に坊さん）は、要らない』と、括弧がつくと思うんですよ。と同時に、『葬式は、要らない』と言わせたのはお坊さんたち自身のような気がします。

池上　高額のお布施を暗に要求されて困った、という話もよく聞きます。

高橋　お布施は「志」であり労働対価ではない、だから定価は付かない、というのがお坊さん側のタテマエ論です。それを盾に、法外なお布施が要求されることも聞いています。本来お布施とは、信仰の付属物です。それがあたかも本質であると思わせられているところに問題があると思います。布施額だけを取り上げ、云々することの不毛は、伝統仏教界の滅びの構図をより浮き立たせるようにしか思えません。そのような状況が続く限り、急速に葬儀は寺から去っていくことでしょう。丁寧に、死に逝く人々や、悲嘆にくれる遺族と向き合ってこそ、お布施は真正面から授受されるようになるものだと思います。

池上　最近では、イオンなどの大手の流通業者が葬儀に参入してきたことも話題になりましたね。これも団塊の世代の需要を見込んでのことだと思うのですが、いかがお考えになりますか。

高橋　寺院と決定的に違うのは、イオンの場合、二千何百万人というカード会員をおそらく消費者として見てると思うんですね。ところが、寺の場合は、何百とか何十とかの檀家を、スポンサーと見てるんです。そこが大きな違いだと私は思います。消費者と見ているイオンは、ニーズの把握の仕方が違う。棚に商品として並べるわけです。お坊さんもその一つです。派遣されて、その場で読経するだけです。

四十九日、三回忌、七回忌の意味は?

池上　こういうことが起きてきたのも、団塊世代という六百数十万人が、生老病死のいよいよ老・病・死の最後の段階に入ってきたからですね。そもそもお釈迦様がいろんなことを考えるきっかけになったのは生老病死ですが、その頃はほんとに若くしてみんなが生老病死を考えざるを得ない時代だったのでしょう。しかし、団塊の世代は若い頃、高度経済成長の中で、ひたすら生だけでしたよね。老・病・死というのは遠いことだった。それが、ついに自分の問題となって、まさにお釈迦様が直面されたことと同じことを、凡人である人間たちがいま考え始めたということですね。

高橋　団塊の世代の老・病・死はすごく難しい。最近、そう感じています。仲間たちの感覚も肌で感じますし。

池上　その世代が今になって、仏教ってどんなものだったっけと思ったりしてるけど、よくわからない。たとえば、お寺には三回忌とか七回忌とか法要がずいぶんありますけど、あれも、どういう意味があって、いつまでやればいいのかということも含めて、よくわからないんですよね。

高橋　田舎のほうでは三十三回忌でおしまいだと言われてます。法要が、だいたい四年から六年ぐらいの間隔であるわけですね。三回忌、七回忌、十三回忌、十七回忌、二十三回忌、二十七回忌、三十三回忌という形になっています。その期間は追善供養といって、その人の魂をまた新たに供養していく。

基本的には、自分がいま生きてるのは亡くなった方のお陰であるわけだからと、それを思い出しながら感謝するというのが、回忌の意味だと思います。三十三回忌でおしまいというのは、ちょうど世代が交代する時期なんですね。子から孫、孫から曾孫と移っていく平均的な年限なので、そこで終わりにするという形なんだと思います。特に仏教的な意味というのはありません。

池上 あ、そうなんですか。三とか七とか十三とかいう数字に、どんな意味があるんだろうとよく思うんですが。

高橋 三と七というのが、どうも仏教では好きみたいですね（笑）。あまり関係ないんです。いままでずっとそういう習慣で来てるものでして、こういうふうにやれという決まりはありません。日本以外の仏教社会にはない習慣ですし。

池上 はあ。日本だけのものですか。なんでこうなったんですか。ビジネスモデルがあったんですかね。

高橋 江戸時代の檀家制度がきっかけですね。キリシタンの弾圧のために、寺請制度といって一軒の家と一軒の寺を結びつけるというやり方をしましたね。それで、三回忌、七回忌というのは役所としての後追い調査というか（笑）。私は、そんなふうに理解しています。ですから、あまり意味はない。お釈迦さんは、そんなことはまったく言ってませんからね。

池上　ですよね。ああ、そう言われてみればそうですねえ。

高橋　ビジネスモデルということは、江戸時代には考えていなかったと思います。

池上　なるほど。ちゃんときちんとお寺の範囲内に入ってるかどうかのチェック、追跡調査だった。追跡調査をしていくうちに、そこで一定の費用が、お布施が入ってくるもんですから、結果としてビジネスモデルとしても成功したと。

高橋　そうですね。それが慣例になってしまっています。あんまり深く皆さん考えないままにきてますね。まあ、三年忌だから、七年忌だからということで。

池上　葬式やって一周忌終えたあと、でも

Q 檀家制度

檀家とは本来、寺院を経済的に支援する人のこと。しかし江戸時代には逆に、檀家が寺院によって管理される関係になりました。江戸幕府は、人々に寺請証文を受けることを義務づけたのです。寺請証文とは、寺院の檀家であることの証明書です。従って誰もが、いずれかの寺院の檀家とならねばなりませんでした。それはキリシタンでないと確認する仕組みであると同時に、戸籍としての役目も果たしました。

この檀家制度のもと、家々に仏壇が置かれて、法要に僧侶を招くという慣習ができたり、年忌・命日法要、彼岸の墓参りや盆の法事などが定着したりしました。

寺院の収入は安定し、いわゆる葬式仏教ができあがったのです。

やっぱりときどきは思い出さなければいけないよねと、みんな思ってますからね。

高橋　そういうふうに考えればいいんじゃないかと私は思いますね。

池上　そんなのは毎年個人的にやればいいわけですよね。なるほど。では、初七日とか四十九日というのは？

高橋　これはチベット仏教に明らかなんですけれど、人間が亡くなったあと、その魂がどういうふうにしてどこに行くかという問題があるんですね。亡くなった人の魂が四十九日の旅をして、行き着くところがバルドという場所だとされています。そこから、輪廻《りんね》と解脱《げだつ》という方向に分かれていくと言われてるんです。で、そこまでの期間が四十九日。

その四十九日の旅の間、七日ごとに魂を守ってくれる仏さんがいて、いちばん最初が不動明王、その次が弥勒菩薩、文殊菩薩、釈迦如来と一週間ごとの週番の仏さんが決まってるんですね。それで、七日ごとに一人の仏さんが守ってくれるから、その仏さんに供養をするということが、七回行われるわけです。

池上　四十九日は、輪廻に行くか解脱するかという分岐点なわけですね。

高橋　ええ。輪廻ということになると、また生老病死の苦しみにつながるわけだから、そうではない、まったくそういった苦しみのない世界である悟りの世界へ行ってほしいというのが、四十九日の祈りの趣旨です。解脱の世界に入っていってほしいという祈りを込めて、法要するんですね。しかし、普通はそういうことはきちんと説明できてないですね。

池上　そうですね。ただ習慣として四十九日をやっていますよね。仏教というのは、要するに極楽浄土に行ったり、来世によりよく生まれてくるためのものだったりと思っている人が多いですし。

高橋　浄土真宗では、行ってまた還ってくるということも言われてますし、禅宗では、生きてるうちに死にきれと、つまり悟れと言われてます。そのために坐禅をするということなんですね。だから、そこのところはなかなか難しいんです。

まず僧侶自身が苦のなかへ

池上　日本では、仏教もずいぶんいろいろ分かれましたよね。ところが、日本のとりわけ若い人たちにしてみると、自分のお寺が何宗なのかもわからなかったり、無関心ですよね。どうしてそんなことになっちゃったんでしょうね。

高橋　日本人の場合は、宗教が習慣上のものになっていて、信仰というものではなくなっていますよね。私らはよくビュッフェスタイルと言ってるんですけど、クリスマスやって、年末の除夜の鐘撞《つ》いて、それでお宮に参る。それが日本人の一般的なスタイルになっていますから。それでも自分の家はお寺の檀家だし、お墓を持ってるしということで、仏教なんだろうとは思っていても、とくに田舎から都会に出てきた人たちは、まあ団塊世代には多いんですが、何宗かわからないという人も珍しくないですね。

池上　新興宗教の場合は、自分でそれなりの決意を持って入りますよね。伝統宗教に、さあ入るぞ、と思って入るという方はほとんどいらっしゃらない。

高橋　ええ、ほとんどいません。

池上　ですよね。オウムの事件が起きたときには、次々に若者たちがオウムに入信したことに、伝統仏教は何をやってるんだという声がずいぶん上がりましたが、あの状況はいまも変わってないですよね。

高橋　ええ、大きくは変わってないと思います。こういうことを言うとちょっと語弊がありますが、意識の高い若者たち、インテリジェンスの高い若者たちがオウム真理教のようなところに入っていった。伝統仏教は、その人たちを受け入れるノウハウを持っていないんですね。若者たちだけではなくて、これから死んでいく六百数十万人の団塊世代を受け入れる素地もない。

池上　そもそも仏教は、どんどん信者を拡大してきたわけですね。だからこそ日本まで伝わったのに、こんなふうになってしまった体たらく……体たらくと言っていいのかどうかわかりませんけどね。

高橋　いや、ほんとにその通りです。それだから島田さんに『葬式は、要らない』って言われてしまうわけです。

池上　事実として、直葬が増え、ほとんどそれに近いようなことがどんどん起きてますからね。

高橋　そうですね。それは日本人の宗教心がないからだとは言えない。人が亡くなるとか、病気で苦しんでいるとか、そういったときこそ、私たちがどういう教えを祖師から受け継いだのか、お釈迦さんから受け継いだのか、そういうことをちゃんと伝えられる大切な場所だと思うんですけど、その機会を完全に逸してるんですね。

池上　では伝統仏教を再活性化するためには、どうしたらいいんでしょうか。

高橋　難しいと思うのですが、まずお坊さん自身が苦の中に入り込んでいくということが必要だと思います。

たとえば私の場合は、ニューギニアのビアク島での遺骨収集で凄まじい体験をしました。

その後、医療支援でチェルノブイリに入り、いまはタイでＨＩＶ感染者の支援活動をやっています。その間に末期がんの患者さんたちに関わったりして、死と生の間のラインを常に跨ぎながら、それを自分自身の仕事にしてきました。ふりかえってみると、その仕事の中には多くの死が深く絡んでいました。そしてたくさんの死者を見送りました。それが、私の現場でした。

そしてその中からいのちの本質に触れる体験をし、多くの感動を味わいました。だから、そういう現場に入ることにより、お坊さんたちの発心は生まれ、意識は変わってくるのだと私は確信しています。それが日本の仏教を活性化していくための手段だと思うんです。けれどなかなかそれができない。

ニューギニアで遺骨を踏みしめて

池上　ご住職がそのように国際的な問題に目を向けるようになったきっかけは何だったのでしょうか。

高橋　私は禅の修行を終えて、自分の寺に帰って来たのですが、さしたる目的もなく、ふらふらしていたんですよ。ほんとにいい加減な坊主、家業化した坊さんだった（笑）。

それが大きく変わったきっかけは、戦没者の慰霊・遺骨収集だったんですね。

当時、妙心寺（京都市）の管長を勤められた山田無文老師に同行した、ニューギニアへの慰霊行でした。無文老師は戦時中、中国で、日本の兵士を鼓舞する法話をされたのだそうです。それに対しての強い悔恨を感じられ、戦争で亡くなった人たちへの慰霊行は自分の役割だと考えられ、ご高齢をおして南太平洋方面の慰霊の旅を続けておられました。

怠惰な私の生活をご覧になった無文老師は、「ついてこい」と一言おっしゃいました。私は旅の目的もよくわからずに、ただ外国に行けるというだけで、参加したのです。

最初の慰霊地は西部ニューギニアのビアク島でした。島にはかつて日本兵が隠れて戦っていた洞窟がいくつもありました。最初に入った洞窟は、千人以上の方々が米軍の攻撃を受けて一気に焼き殺されたという場所でした。私の足元にも遺骨があったのです。戦争を知らず、高度経済成長のど真ん中で、日々の快適さを享受し、いのちの意味や人間の苦しみなど深く考えたことがなかった当時の私の足下に、家族や愛する人々を想いながら、苦しみの極みの中で息絶えた兵士たちの遺骨があったのです。それを私は踏んでいました。

身体中を戦慄が走り、立っていることがやっとでした。

震える声でお経を誦み始めたそのとき、私の後ろで同行されたご遺族の方の泣き声が聞こえました。そしてそれは次第に号泣に変わり、そしてその方はそのまま泥水に身を屈し、泣き崩れたのです。その方の夫は結婚後三カ月で出征し、戦後、ビアク島で戦死、という公報を受けたといいます。散在する遺骨の中に三十三年前に出征した夫がいる。思い出の中でしか会うことができなかった夫にいまめぐり合ったのです。しかもすさまじい死が訪れたであろう現場で、です。それとともに、戦後をひとりで生き抜いてきた苦労が、一気に脳裏に映し出されたのでしょう。

その号泣を聞きながら私は、お経を誦むことができませんでした。無文老師に「しっかり誦め」と叱咤されても誦めませんでした。

お経を誦めなかったという経験は、それまで一度もありませんでした。どんなに厳しい亡くなり方をした方の柩《ひつぎ》の前でも、どんなご遺体の前でも、それまでの私は平気でお経を誦んでいたんです。だけど、そのときは、どうしても誦めませんでした。

苦しみの現場に立ち、いのちというものの存在を本当に真剣に考えさせられたからなんですね。その時、私の中の、スイッチがカチッと音を立てて入れ代わったという感じがしました。そして、お坊さんとは何をする人か、寺とは何をする場所かということを考えるようになりました。いままでの神宮寺という寺は、亡くなった方に対して葬式をやるだけでした。しかし、亡くなっていった方々は生前、いろんな苦しみを持ち、つらい思いをされた場合も多いのです。そこに寄り添い、支える、それが私の仕事ではないのか、と考えました。

それから三十年、この間に生と死の現場に踏み込んで、生老病死の苦しみを持つ人たちと関わっていくという状況ができてきました。それは緩和ケア病棟でのサポートであったり、高齢者のケアでした。また、生活や病気に苦しむ人々への、日々の対応ともなりました。寺は門を開けていると、いろんな人からの相談やさまざまな問題が自然に入ってくるものなんです。

池上　そうやって誰でも来るって、しんどいですよねえ。

高橋　しんどいです。でも仕事だと思えば全然問題ないですね。

お経は体にいい

池上　国家のいろんな行政組織が整備される前、昔のお寺はそういう役割をしていたわけでしょうね。

高橋　そうなんです。苦しみとか悲しみとかを寺に行けば何とかしてくれるということの延長線上に、死があって、葬儀があったと私は思います。いまは葬儀の部分だけ切り取られて、人が亡くなるとまず葬儀屋さんに連絡して、葬儀屋さんから日程決まりましたってお寺に連絡が入って、それでお経を誦むという流れです。

それじゃあいけないと思いますよ。いのちが生・老・病というプロセスで続いていく中で、死を捉える。つまり、生・老・病・死その時々に応じて、丁寧にかかわっていかないといけないと思います。まず、お坊さんにそういう意識を持ってもらいたいですね。いまの寺の多くは、普段門を閉じていて、お布施が来るときだけ開くという感じですからね（笑）。でも、そのほうが圧倒的に楽なんですね。

神宮寺の場合は、亡くなる前からのお付き合いが多いから、その方が呼吸を止める一時間前とか一週間前に、ほんとに苦しい思いをしていたこともわかりますし、その方がどういう思いで生きてきたのか、どのようにして皆さんにお別れのメッセージを出したかったのかを知ることもできます。そのうえでお葬式を組み立てていくことが必要じゃないかと思います。そうなってくるとお葬式のやり方は一つひとつ違ってくるはずです。

もともと寺は、個々の人間の要望や苦しみに対応する仕事と同時に、地域の中にあってその地域全体をつくり上げていく核にもなっていたと思うんですよ。たとえば、団塊世代が生まれてきた後の一九五〇年代半ばに、日本では保育所とか幼稚園、季節保育所が一気にたくさん必要となったんですね。その社会的ニーズをお寺が担ったという歴史があります。つまり、社会の問題に関してお寺が対応したわけですよね。

いま、私の地元、浅間温泉では、神宮寺が中心になってNPOを立ち上げ、廃業した旅館をお借りして、通所介護施設と訪問介護事業を運営する「ケアタウン浅間温泉」を動かしています。それから成年後見制度を扱う「ライフデザインセンター」も運営しています。その地域で生まれ、あるいは嫁いできて長く生活していた人々が、そこで病気になり、年老いて死んでいくという、生老病死が地域の中で一貫して支えられれば、安心につながっていきます。それをサポートするのは、お寺の使命であり、長い歴史の中で蓄えられ、培われた能力の一つだと思います。

たとえば、葬儀に関して言えば、その地域の中でその人が生きてきた最後のお別れの場面として、その人のことを思い出に残すため、そしてその人の意思を、遺族や地域の人々に伝えていくために葬儀があると私は考えているわけです。いままでの葬儀はいろんな宗派の規則に則ってはいるが、意味がわからないんですね（笑）。そしてお坊さんたちからは、丁寧な説明も聞こえてきません。神宮寺の場合は、故人の好きだった音楽を使ったり、生前の姿をスライドでみてもらったりして、何とか皆さんにお葬式の意味をわかってもらおうと工夫しています。

池上 お経は漢字を音読みしていますよね。私は物事をわかりやすく伝えるという仕事をしていますから、どうも不満なんですよ。意味をやっぱり教えてほしいなと思うんですね。その点はいかがなんですか。

高橋 『般若心経』にしてもほかのお経にしても、おっしゃるように意味がわからない。じゃあ、どういうふうにそのお経を伝えていくのかということになったら、一言一句解説していくという方法もあるし、音としてお経を耳から、血管を通して身体全体に回していくという感覚で聞いてもらいたいとも思うんです。そうなるとコレステロールが溶けていくように、身体の中の汚れが溶けていく感じがするんですよね。「サプリ飲むよりお経のほうがよっぽど健康にいいよ」って言ってるんですけど。

意味の点では、どこかできちっと皆さんに伝えていかなきゃいけないということで、昨年のお盆の法要には、『観音経』の『普門品偈《ふもんぼんげ》』というお経に挑戦しました。『観音経』をお経として私が誦み、同時に詩人の伊藤比呂美さんが訳された『観音経』(『読み解き「般若心経」』より）をナレーターに朗読してもらいました。たとえば、『観音経』の『普門品偈』には、「念彼観音力」というフレイズがたくさん出てきます。その部分を、伊藤比呂美さんは、こう語っています。

「かんのんは……よく見聞きしわかり、救いを求める声を、ちゃんと聴き取る。ねんぴーかんのんりきだ。その上、呼び声に応じて、地球上のどこにでもあらわれることのできる超能力を持っている。ねんぴーかんのんりきなのである。／つまりいつなんどきでも、あたしたちに危険がせまれば助けに飛んでくるスーパーマンやアンパンマンのような存在だ。／『You've got a friend《あなたにはともだちがいる》』に出てくる自称『ともだち』のような存在でもある。そういえばあの歌は、ときに女声（キャロル・キング）でうたわれ、ときに男声（ジェイムズ・テイラー）でうたわれた……」

神宮寺のお盆法要でナレーターをつとめてくれたのは、宮武希さんという歌手でした。私の『観音経』に合わせて、彼女の歌う「You've got a friend」が流れたのはいうまでもありません。それが神宮寺の法要なんですよ。努力してるんですよ（笑）。皆さんにお経を知ってもらえるように。

池上　お経を直訳していくのではなくて、つまりこういうことなんだよと、やってみせるということですね。なるほど。では、これからの仏教、お寺というのはどうなっていくと思われますか。

お寺を地域の拠点に

高橋　まず、いま私どもの宗派（臨済宗妙心寺派）は、三千数百のお寺があるんですけれども、その中の九百から千に住職がいない、あるいは兼務となっています。全国的にお寺はどんどん少なくなっています。それから、お坊さんたちが世襲を繰り返していく限り、魅力的なものは後世には残せないと、私は感じています。

しかし、寺が持つ潜在能力を発見し、認識し、極限まで引き出していけば、寺はめちゃくちゃ面白い。やれる仕事はいっぱいありますし、それによって社会に対してインパクトを与えることもできる。宗教法人の本来事業としてやれるものも多くあります。

各寺院に備えてある寺院規則の「目的」の部分を見直し、この寺はこの地域で何を目的として活動をするのかを再考しなければならないと思います。神宮寺はその見直しをするため、「地域社会に貢献する」ということや「世界平和を希求する」ということを目的の中に盛り込みました。そうなったとき、寺本来の仕事が見えてくるはずです。

いま檀家さんたちの流動化が起きています。葬儀は直葬が多くなるかもしれません。この動きは止められないでしょう。でも、このお寺ならきちんと面倒みてくれるということがわかれば、人々は信頼し、応援してくれると私は思いますね。

池上　危機感をもって本来のあり方に目覚めたお寺は残っていくし、むしろ広がっていくということですね。

高橋　ええ。寺の経営を葬儀に頼るようになった以前に戻ればいいと思うんです。団塊世代が適齢期を迎えた、いまから三十数年前の結婚ブームに乗って、結婚式場チェーンがどんどん生まれました。その結婚式場がいま葬儀場に移行しています。そうした葬祭ビジネスと張り合ったり、取り込まれていては寺の将来はありません。寺の果たすべき役割はもっと他にあると思うんです。

死の以前に、老と病があるわけですが、六百数十万人が老の域に入ってきたら、国家の社会保障もうまくいくかどうかわからない。そのときに、寺がもっている潜在能力をしっかり発揮できたら、間違いなく社会は変わります。土地はある、建物ももっている、人脈もあるのだから、それらを最大限に使い、その地域に高齢者の支援施設をつくっていくというアイデアは見過ごせません。

地域福祉を考えるとき、コミュニティーの広さはだいたい小学校区で捉えます。それは、そこに住む人々の顔が見える範囲です。そしてその小学校区は全国に二万二千校区あります。一方、寺は全国に八万あるんですね。一つの小学校区の中に寺が三つか四つあるという計算です。これほどいい社会資源はないじゃないかと思うんです。たとえ檀家数が少ない寺の場合でもデイサービスやグループホームなど、介護保険の対象になる運営が可能です。しかも、地域のお年寄りとの深い交流も可能になります。寺の運営と同時に、社会にも貢献できるのです。これから大変な状況になる団塊世代をケアし、サポートができます。これが寺を活性化するモデルのひとつだと私は思っています。

池上　お寺が地域のお年寄りの面倒をみていた昔のやり方を、現代の行政と制度の中で生かしていくということですね。

高橋　そうです。介護保険制度と成年後見制度を取り入れることで寺の仕事の幅は広がります。団塊世代が八十代、九十代を迎える頃には、高齢者の割合が現在より高くなり多くの人が認知症をかかえることになるといわれています。そのときちゃんと後見ができて、地域の中でその方たちが安心して生きられるシステムを整える。そういう先見性が寺には必要だと思うんです。たとえ高齢になっても、障害をもっても地域で普通に生きられる環境をつくっていくことが重要です。そういったコンセプトが浅間温泉全体をケアタウン化していくという構想につながり、それらが、この寺から発信されているのです。

池上　いままで寺と縁のなかった人が家の近くで、たとえば東京で、神宮寺のように開かれた寺を見つけたり、アクセスするにはどうしたらいいでしょう。

高橋　お寺の情報発信は最近、インターネットでやっているところが多いので、注意してみてください。しかし、まだ、コンテンツは少ないですね。坐禅会とか写経会とか法話会などが主流です。ただ、最近、新しい意識や感覚を持っているお坊さんたちが出現してきましたから、一緒になって何か新しいものを作っていけばいいと思います。

若いお坊さんたちも、現状を認識しつつ、苦しみながら、何とか多くの人に寺に来てもらおう、仏教に触れてもらおうという感覚や願いをもっています。しかし、仏教界は長老社会であり、大寺社会ですから、若いお坊さんたちの意思は、そういった権威の前で、なかなか反映されないですね。つまり、若いお坊さんたちが危機感を肌で感じ、時代に即した仏教を創造するのだ、という意識と意欲を持っていかないと、仏教界は絶対変わらない。私は、彼らの意識の変革に期待し、応援しようと思います。

池上　お寺の再生は、「古い革袋に新しい酒を入れる」という道にありそうですね。ありがとうございました。

■インタビューを終えて

伝統仏教の寺の中には、葬式を中心とした「経済活動」に熱心で、社会活動にあまり関わろうとしない傾向もありますが、高橋さんは違います。

お釈迦さまが、生・老・病・死の苦しみを救わなければならないと考えたのが仏教の原点なのに、現代の伝統仏教は、それを忘れているのではないか、と高橋さんは指摘します。そこには、寺が家業になってしまっている現実があります。

高橋さんは、生と死の現場を数多く見て、苦しむ人たちに寄り添ってきました。これが、仏教の姿なのでしょう。いや、宗教はいずれも、そういう役割を果たすべきなのかも知れません。

高橋さんのお寺は、介護事業など地域を支える仕事を次々に広げています。葬儀とは、地域の中で、その人のことを思い出に残し、その人の意思（遺志）を地域の人に伝えていくためにある。そこに、寺の未来があるというのです。

そもそも仏教の寺とは、地域にあってコミュニティーの中心となり、寺子屋として地域の教育を担ってきた。戦後の高度経済成長期は、保育園や幼稚園も経営してきた。その現代版が必要なのだという指摘です。ここから寺の活性化が始まるのでしょう。

第5章　「最後の審判」は来るのですか？

キリスト教がわかる！

山形孝夫
（宮城学院女子大学名誉教授）

1932年、宮城県生まれ。東北大学文学部宗教学宗教史学科卒業。同大学院博士課程修了。著書に『聖書の起源』『治癒神イエスの誕生』（ともにちくま学芸文庫）など。

池上　山形さんは、宮城学院女子大学名誉教授で、宗教人類学の立場から聖書について研究してこられ、クリスチャンでもいらっしゃいます。今日は、キリスト教について、ごく基礎的なことからうかがいたいと思います。まずイエス・キリストといった場合、姓がキリストだと思っている人が結構いますが、そうではないですよね。

山形　はい、そのとおりです。キリストというのは名字ではなく、ギリシア語で「救い主」という意味です。ヘブライ語では「メシヤ」。もともとは「油をそそがれたもの」＝「王」という意味の普通名詞でした。つまり「主・イエス・キリスト」と唱えること自体が、「イエスは私の救い主」という信仰告白になります。たとえば、「南無阿弥陀仏」の唱名（念仏を唱えること）にあたるでしょう。

イエスという名前は、キリストが生まれ育った当時、紀元前四年頃のパレスチナでは、それほど珍しい名前ではありませんでした。たとえば『旧約聖書』に登場する、ユダヤの民族的指導者モーセの後継者にあたるヨシュアという名前も、実はイエスなのです。ヨシュアはヘブライ語の発音で、それをギリシア式に発音するとイエスス、となる。ヘブライ語では「ヤハウェ（神）は救い」という意味。もともとイエスはガリラヤ（現在のイスラエル北東部）のナザレという町の出身でしたので、普通は「ナザレのイエス」と呼ばれていました。

クリスマスの日付は異なる？

池上　われわれ日本人にとってなじみ深いクリスマスですが、これはイエスの誕生日を祝う儀式と考えていいのでしょうか。

山形　たしかに、そのとおりですが、実は、イエスの誕生日も死んだ日もはっきりとはわかっていないのです。

池上　意外ですが、そうなんだそうですね。それがどうして十二月二十五日が誕生日ということになったのですか。

山形　クリスマスを祝うようになったのは、キリスト教がローマ帝国の国教となった四世紀以降の話です。イエスの死後三百年も経ってから、当時のカトリック教会が『新約聖書』の中の「ルカ福音書」や「マタイ福音書」の物語にうまく辻褄を合わせて、光の子の誕生にふさわしい冬至の十二月二十五日に決めたのだと言われています。

池上　『新約聖書』に書かれているイエスの物語から計算したということですか。

山形　つまり、イエスの母・マリアの懐妊がユダヤの過越祭《すぎこしのまつり》の春分の頃。とすると、その十カ月後の冬至の頃がイエスの誕生日だ、という計算をしているわけです。背景には西方ローマ帝国の太陽神崇拝があるとの説もあります。

一方、ギリシア、シリアやロシアなどに広まった東方正教会では、一月六日がクリスマスの祝祭とされ現在に続いています。ただしそれはイエスの誕生日ではなく、イエスがヨルダン川でヨハネから洗礼を受け、イエスに聖霊が宿った日だとされています。同じキリスト教でもクリスマスの日付は異なるわけです。

イエスはユダヤ教徒だった

池上　イエスが生きていた間はまだキリスト教は成立していません。ということは、イエス自身は自分を何だと思っていたのでしょうか。

山形　正統なユダヤ教徒であると信じていました。当然のこととして、ユダヤの神であるヤハウェを信じ、生涯をとおして十字架の死の瞬間までその信念は変わりませんでした。ただしユダヤ教が硬直した教条主義（律法主義）に陥っていることに対して、強烈な批判をいだいていたのは確かです。しかし、だからといって新しい宗教を起こそうとか、ユダヤ教に敵対しよう、といった考えはまったくなかったと思います。

池上　生前のイエスがごく普通の宗教家だったとすると、どのようにしてカリスマ性を獲得していったのでしょう。

山形　その背景には、ローマ帝国の植民地として、重税に苦しんでいたパレスチナの状況があった、と思います。農民は農地を奪われて小作人からホームレスに転落し、病気と飢餓が蔓延し、人と人との共同体の絆が無縁社会のように崩れていく。そうした中でイエスは、真っ先に病者に向かって手をさしのべていった。

池上　イエスは故郷を捨て、家族との絆を断ち切って、村から村へ病者をたずね歩いたわけですよね。神の下で人類がみな兄弟として相愛する「神の国」の実現を目指した。それでパレスチナ北部のガリラヤ地方からエルサレムへ漂泊を続けた。

山形　それがイエスの「神の国運動」です。それは病者をたずね歩く一所不住の旅でした。私はこの「神の国運動」の大きな特徴は、癒しの奇跡であったと思います。ここにこそ、イエスのカリスマ性の原点があった。

『新約聖書』の四つの福音書には、イエスが悪霊にとりつかれた人々や、目の見えない人や口のきけない人、それから「レプラ」と呼ばれる重い皮膚病の患者を次々と治していく場面が描かれています。「悪霊にとりつかれた人」とは、いまでいうと広い意味の精神的疾患をかかえて苦しんでいる病人を指していたのでしょう。当時のユダヤ社会では、そのような疾病は、神の呪いの病気として、ひどい差別の目で見られていました。イエスはそうした人々に近づき、みずから手をさしのべる仕方で癒しをおこなったのです。

非科学的だ、と嗤《わら》うことはたやすいでしょう。しかし差別に苦しんでいた人たちに対して「この病気はあなたの罪のせいではない」ときっぱり語りかけ、恐れて誰もが避ける患者に直接手を触れた。それだけで心理療法として高い効果をもったのではないでしょうか。イエスはいまでいえばすぐれた精神科医、冤罪に苦しむ人や弱者のために命をかけて闘う人権派の弁護士のような存在で、そこにこそ宗教にとって本質的な癒しの役割が集中していたと考えられます。

池上　なるほど。差別された人々、苦しむ人々を癒す存在だったのですね。

しかし、そうして民衆の支持を集めるようになったイエスですが、ユダヤ人の権力者たちから告発されて、パレスチナを属領としていたローマ帝国の総督ピラトによって処刑されます。これはなぜなのでしょうか。

山形　ひとつには、ユダヤ社会を牛耳っていたユダヤ教の祭司長や長老たちの目に、イエスの「神の国運動」は自分たちの欺瞞をあばき権威を揺るがす脅威と映ったからです。しかし、それだけではありません。イエスが十字架にかけられたのは紀元三〇年代のことでした。その頃からユダヤ教の内部にローマ帝国の植民地支配への憤懣が火を噴きはじめ、しだいに抑えがたいまでになった。これはユダヤ社会の権力者からするといかにも危険な兆候です。イエスをローマ総督に突き出したのは、それを隠すための巧妙な政治的取引だったのではないか。

池上　ある種、生贄《いけにえ》に差し出したということですか。

山形　そのとおりですね。しかし、ピラトはもっと狡猾で、その仕掛けをしっかり見抜いていた、と私は見ています。福音書のイエスの受難物語は、このへんの読み解きが微妙で、スリリングでもあります。なぜ、ピラトがイエスを無罪放免しようとして、これでもか、これでもかと手をつくし知恵をしぼるのか。

池上　ピラトは「この男に罪を見出せない」と釈放しようとするんですよね。ですが、民衆は承知しない。

山形　「マタイ福音書」によりますと、過越祭の日には民衆の希望する囚人をひとり釈放できる特赦があり、総督ピラトが、その日に裁かれる二人の罪人とイエスのどちらを放免するか民衆に問うと、ユダヤ人たちはいっせいにイエスを殺せと叫んだという。そこで、ピラトは「この人の血について私には一切責任がない、お前たちの問題だ」と言ってイエスを引き渡した。この辺は、いかにも不可解です。ほんとうにピラトの手は汚れていないのか。イエスがユダヤ人によって十字架につけられたという記述の真相は果たしてどうであったのか。この問題は現代にまで尾を引いていますね。

「最後の晩餐」の秘密

池上　聖書は『旧約』と『新約』に分かれますが、『旧約』部分はもともとユダヤ教の聖典です。現在でも、キリスト教徒が、イエスを磔《はりつけ》にしたいわば仇であるユダヤ教の聖典（＝『旧約聖書』）を信じるのは不思議な感じがするのですが。

山形　ごもっともです。いかにも不思議な話ですよね。ポイントは、『旧約聖書』を抜きにしては、イエスが待望のキリストであること、つまり救い主であることを証明できない、という点だと思います。

ユダヤ教には、いずれこの世の終わりが来る、という終末思想があります。終わりの日にはメシヤ（救い主）がやってくるという信仰です。たとえば『旧約聖書』の預言者イザヤは、メシヤについてこう預言している。「彼は人々に軽蔑され、見捨てられ、痛みを負い、病を知っている。彼が刺し貫かれたのは、わたしたちの背きのためであり、わたしたちの咎のためである。彼の受けた傷によって、わたしたちは癒された……」（イザヤ書五十三章。推定年代は紀元前五四〇年頃）

このように『旧約聖書』のイザヤの預言したメシヤこそ、ナザレのイエスではなかったか。イエスの弟子たちは、イエスの十字架のあとに、はじめてそうした理解にたどりついたのです。イエスの生前には思いもつかなかった考えでした。

池上　そのイエスを、こともあろうにユダヤ教徒が自分たちの手で十字架に追いつめて殺してしまった。

山形　そのとおりです。この悲劇的なドラマの意味を、最初に読み解いたのが使徒パウロでした。パウロは十字架の出来事の奥に秘められた救いの意味を、イエスの血による新しい契約という一点にしぼってとらえることに成功した最初の人でした。『旧約聖書』と

『新約聖書』が、ここでしっかりと手を結びます。これをキリスト教徒は、『新約聖書』は『旧約聖書』の完成とみるわけです。

池上　つまり、宗教的シンボルとしてはイエスが原点ですが、実際の教義を作ったのはパウロ、というわけですね。

山形　ええ。たとえばイエスが十字架にかけられる前夜、十二人の弟子たちと「最後の晩餐」をしますね。これは新年を祝うユダヤ教の「過越祭」の前夜祭の食事ですが、モーセがユダヤ人を率いてエジプトを脱出したのも、やはり過越祭の前夜で、人々と食事をともにしています。

過越祭は日本人にとっての大晦日から元旦にかけての時間の境界と同じで、ユダヤ教徒

Q パウロ

パウロは、ユダヤ名ではサウロと呼ばれました。もとは熱心なユダヤ教徒で、キリスト教徒を迫害していましたが、「サウロ、サウロ、なぜわたしを迫害するのか」と復活したイエス・キリストに呼びかけられ、その直後、目が見えなくなりました。アナニアというキリスト教徒が神のお告げに従い祈ると、サウロの目から鱗のようなものが落ちて、見えるようになった。

これが「目から鱗が落ちる」という言葉のもとです。

パウロは、理論家としてその後のキリスト教の基礎を作り、また各地へ伝道の旅を重ねましたが、エルサレムで捕えられ、ローマに送られました。暴虐で知られる皇帝ネロのもとで殉教したと伝えられています。

は仔羊を神への生贄として殺し、食事の席で共食する習慣でした。羊を犠牲として捧げることで、神の前に旧年のすべての罪過を贖《あがな》い、新年を迎えるわけです。そこでのイエスは、まさに犠牲の仔羊という宗教的シンボルそのものなのです。

池上　その最後の晩餐の席で、イエスは仔羊の代わりに自分自身を神への生贄に見立て、パンをちぎって「これは私の肉である」、ブドウ酒の杯をまわして「これは私の血である」と言うわけですね。

山形　キリスト教会はいまでもパンとブドウ酒を十字架のイエスの肉と血に見立て、ミサという儀礼を守っていますが、その原型は、パウロが、過越祭の仔羊の供犠を、イエスの

Q 出エジプトと過越祭《すぎこしのまつり》

遊牧生活をしていたユダヤ人は、紀元前十七世紀頃、現在のイスラエルやパレスチナにあたる「カナンの地」から、エジプトへ集団移住しましたが、そこで奴隷にされてしまいました。神は、モーセを指導者として、ユダヤ人をカナンへ向かわせようとします。しかしエジプトの王が妨害したので、神はエジプトに十の災いをくだしました。その最後は、人や家畜の初子を撃つという災いでした。ただし災いは、戸口に印のある家は過ぎ越す、つまり災いをくださないと、神はモーセに伝えます。

エジプト脱出の日、死の天使がエジプトの家々を訪れましたが、印のあるユダヤ人の家は過ぎ越してゆきました。過越祭は、この伝説にちなんで行われています。

十字架に見立てることによって巧みに読み換えたところから来ています。

つまりユダヤ教で仔羊を生贄にして罪が許され新しい年が始まるのと同じように、イエスの十字架の血によってすべての人の罪がゆるされ、新しい世界の歴史が始まった、とするわけです。イエスという犠牲によって、もはや人類はすべての罪から解放されたとみる、そのような考え方です。ここでも『旧約聖書』における犠牲と、『新約聖書』における犠牲が一つに結びあわされていますね。

池上　非常に興味深いですね。『新約聖書』は、『旧約聖書』の上に重ねあわせるようにして読むことで、その意味が現れてくるようなところがあるわけですね。

イエスの復活は真実か

池上　さて、そこでお聞きしたいのが、十字架にかけられ殺されたイエスが、三日後に「復活」したという、『新約聖書』の中でもクライマックスと言える部分についてです。これはどこまでが事実で、どこまでが神話なのでしょうか。

山形　キリスト教の成立にかかわる大問題ですね。その発端に、イエスの遺体が突然消え失せてしまったという事実がある。ここから、さまざまな臆説が生まれました。最も多いのが盗難説。誰かが持ち去った。イエスの身内の者か、それともユダヤ教徒か、それともローマの権力者か。それぞれ、それらしい根拠をあげて証明しようとし、今日まで続いています。しかし、最初のキリスト教徒は、「復活」を確信した。イエスは死んで甦ったのだ、と。これを神話というならたしかに神話ですが、これがなければキリスト教はユダヤ教に埋没してしまっていたでしょうね。

その重大な復活の最初の目撃証人は、マグダラのマリアでした。外典「マグダラのマリア福音書」などによると、イエスに特別に愛された女性ですが、白昼に神を見る超能力をもち、幻のイエスと話のできるシャーマンのような存在として描かれています。使徒パウロも同様に、白昼にイエスの幻を見て、ユダヤ教からキリスト教に回心した人として知られています。そのパウロを中心としたキリスト教が、地中海周辺のヘレニズム世界へ〈イエスの復活〉を広めていったわけです。

池上　ヘレニズム世界といいますと、東地中海沿岸からオリエントにかけての、ギリシア文化とオリエント文化とが融合した世界ですね。そこにあった国々がローマに併合された後も、ギリシア語が共通語として使われて、ヘレニズム文化は栄えていた。

山形　はい。そこではギリシア語でイエスのことを語り合ったわけです。ヘレニズム文化の中では、復活ということにあまり抵抗がありません。ギリシア神話にもエジプト神話にも復活の話が出てきます。古代エジプトの神オシリスは八つ裂きにされて殺されるのですが、妻のイシスが遺体の断片を集めて包帯でグルグル巻きにしてつなぎ合わすと、オシリスは復活し、冥界の支配者となります。カナンのバアール神もそうですね。

ユダヤ教には復活信仰はありませんが、当時の地中海世界ではそれほど奇異な神話ではなかった。ですから、それが新興宗教であるキリスト教の特徴になりえたのでしょう。やがて、十字架と復活は、キリスト教にとって神話ではなく、疑い得ない事実として教理の核心になっていくわけです。

マリアは神の母であっても、神に非ず

池上　基本的なことをうかがいたいのですが、キリスト教における「神」とはどんな存在なのでしょうか。

山形　まずはこの世を創造した唯一絶対の「創造神」。ここまではユダヤ教やイスラム教と同じです。違うのは、ユダヤ教やイスラム教の神が人間の目にはまったく閉ざされた不可視の存在であるのに対し、キリスト教では、神がイエスという、可視的な存在者の姿

をとって、人々の前に姿を現した、という点にあります。「父なる神」と「子なるイエス・キリスト」ですね。そして第三に「聖霊」という、可視でもあり不可視でもある存在が加わり、この三者が一体だというのが、キリスト教独自の「三位一体《さんみいったい》」の神観念です。

池上 よくキリスト教のミサの冒頭に詠われる、「父と子と聖霊の御名《みな》において」という、あれですね。つまり、創造主としての父なる神と、キリストと、聖霊が、神の三つの存在様式であるという、キリスト教の根本的な教義です。日本人にわかりにくいのは、この「聖霊」ですが、これは何を指すのでしょうか。

山形 復活した後、イエスは天にのぼります。可視的な存在から不可視の存在への変化です。しかし地上には聖霊が残り、イエス・キリストと同じ働きを人間と世界に対して果たしていると考えるのです。

聖霊はイエスの誕生にもかかわっています。もしイエスが神だとしたら、その神を生んだマリアもやはり神ではないか。これが中世をとおして大きな議論をよびました。もしマリアが神ならば、「三位一体」が崩れてしまう。けれども最終的には、マリアは神の母であっても、神に非ず、ということで決着し、かろうじて「三位一体」が確保されました。

池上 つまり、聖霊の力によって処女マリアより神の子イエスが生まれた、という解釈になるわけですね。聖霊は、『新約聖書』の不思議な部分をジャンプする、ありがたい存在でもあるわけですね。

「最後の審判」はいつくるか

池上　キリスト教では「最後の審判」がやってくると考えられています。世界の終わりに、死人が眠りから覚めて復活し、一人ひとりが神の前で、永遠に天国で暮らすか、永久に地獄に堕ちるかが裁かれるとされます。では、その世界の終わりは一体いつやってくるのでしょうか？

山形　それは誰にもわかりません。たしかにこの世の終わりに救世主が現れるという終末信仰自体は、ユダヤ教やイスラム教といった一神教の宗教に共通する考え方です。この世の善と悪の闘争の終わりをひたすら待ち、その先にある神の勝利に救いの希望をかける、という生き方です。そのもとをたどれば、それだけ現世がつらく厳しかったということでしょうね。現世が厳しければ厳しいほど、「最後の審判」への期待や希望は強くなり、そして最後は希望それ自体が救いとなる。

池上　そういう思想は一神教の宗教の救いの特徴ですね。

山形 そう思います。けれども一方で、イエスは、永遠の救いの「神の国」は遠い将来にやって来るのではなく、すでに「いま・ここに」ある、という言い方もしている。そこにあるのは救いの時をひたすら「待つ」。そして、「待つ」こと自体の中に、未来と連鎖する至福の時間をみる。ここにこそ創造的な永遠の時間がある、と考える。これはユダヤ神秘主義に通じる思想ですね。

池上 もともとパレスチナの地域宗教に過ぎなかったキリスト教が、全世界に広がっていった理由は何なのでしょうか。

山形 それには、使徒パウロの構想した壮大な救済論が決定的であったと私は思います。パウロは一方においてユダヤ教のメシヤの論理や救済観としっかり手を結びながら、一方において普遍的共同体の構想を打ち出し、「もしも、イエスとひとつになるなら、ユダヤ人もギリシア人もなく、自由人も奴隷もなく、男も女もない」(「ガラテヤの信徒への手紙」)と宣言する。ユダヤ教のメシヤ救済論と新しい民族解放のヴィジョンが一つになって、旧世界に大きな風穴をうがった。イエスの「神の国運動」が、民族の境界を突き破って全世界の民衆にあふれだす原点となったのです。

なぜ迫害されたのか

池上　ただそうやって民衆の間に信者が増えていっても、支配者であるローマ帝国は当初はキリスト教徒を迫害したのですね。

山形　たしかにそのとおり、ローマ帝国はキリスト教徒を迫害しました。とくに二世紀から三世紀にかけてです。その理由は、キリスト教がその当時はユダヤ教内部の一派とみられていたからです。そもそもローマ帝国にとって、ユダヤ教徒こそが許しがたい反逆的な宗教でした。というのは、第一次ユダヤ反乱および第二次ユダヤ反乱をとおして、ローマ帝国はユダヤ人の反乱にひどく手を焼き、ユダヤ人をエルサレムから追放し、鎮圧後は一神教崇拝を禁止するなど強硬な手段で弾圧

Q ユダヤ反乱

帝政ローマ時代の紀元六六年から七三年まで、ローマ帝国と、その属州に住むユダヤ人との間で戦争がありました。ローマ帝国の迫害に不満が高まって始まった戦いで、これを第一次ユダヤ戦争と呼びます。

ユダヤ人は、エルサレムに立てこもって戦いましたが、七〇年に陥落します。それでもなお、難攻不落といわれたマサダの要塞に立てこもって戦いをつづけましたが、七三年、ついに集団自決して陥落しました。二十世紀にマサダ要塞跡が発見されて、今は人気観光地となり、その頂上ではイスラエル国防軍の入隊式が行われています。

一三二年にもバル・コクバを指導者とするユダヤの反乱が起こり、第二次ユダヤ戦争と呼ばれます。

を強めていました。

キリスト教徒もそのあおりを食って弾圧の対象とされたのですが、とくに皇帝崇拝を頑固に拒否するキリスト教徒はねらいうちされた。「皇帝こそはキリストである」というローマ帝国の皇帝崇拝に対し、「イエスこそはキリストである」と告白し続けたからです。

池上　弾圧が止んだのは、コンスタンティヌス帝が布告した「ミラノ勅令」、いわゆる寛容令（三一三年）によってですね。

山形　はい、そのとおりです。ローマ帝国はこれ以降大きく宗教政策を転換し、曲折はありましたが、キリスト教の国教化に踏み切りました（三九二年）。この歴史的な転換には、二つの要因が重なっていたと思います。

Q ミラノ勅令

ローマ帝国はキリスト教を迫害しましたが、三一一年に、弾圧をやめる寛容令が発せられました。三一三年には、コンスタンティヌス一世が帝国の統治にキリスト教を利用しようと「ミラノ勅令」を発布。他の宗教と同じくキリスト教が公認されました。

コンスタンティヌス帝は、三二五年に初めての全教会規模の会議であるニカイア公会議を開き、三位一体などのキリスト教の教義を定め、それ以外を異端とします。それでも異端とされた宗派の活動は勢いを失いませんでしたが、三七九年に即位したテオドシウス一世によって、三位一体派以外の宗派は厳しく弾圧され、ローマの他宗教も廃絶されて、キリスト教がローマ帝国の国教とされました。

一つは先ほどお話しした使徒パウロの壮大な救済論。もう一つが、ローマ帝国の世界平和戦略です。この二つの歯車が、世界史の転換点で噛み合ったのです。

池上 と言いますと？

山形 さきほどのパウロの言葉のように、イエスにおいて世界の民は一つに結ばれるのだとキリスト教は考えているわけです。一方、ローマ皇帝コンスタンティヌスの構想するローマの世界平和は、「唯一の神、唯一の皇帝、唯一の帝国」という考えが基盤でした。この両者の構想が世界史の転換点で一致したのです。それが、ローマ帝国のキリスト教国教化でした。ただし、それがキリスト教のその後の運命をいかに歪めたかは、歴史の証明するところです。

池上 キリスト教とナショナリズム、国家主義とが密接に結びついていくわけですね。

山形 全く、そうなのです。ちなみに、キリスト教の十字架がローマ軍の勝利のシンボルになったのも、それ以降のことです。ローマから弾圧を受けていた頃の初期キリスト教では、十字架ではなく魚をシンボルにしていました。これはギリシア語でイエス・キリスト（イエスス・クリストス）、神の子、救い主と書いた時の頭文字をつなげると、「魚（イクスス）」というコトバに近くなることに由来します。同じシンボルでも「魚」と「十字架」では全く違いますね。

池上　ローマ帝国の弾圧下では、そうした暗号でキリスト教徒であることを確認しあうしかなかったわけですね。

山形　十字架にはり付ける磔刑というのはローマ帝国に特有の処刑方法で、本来ローマ帝国の権力の象徴だったのです。その権力の象徴としての十字架と、愛の宗教としてのキリスト教が奇妙な仕方で結合しました。

たとえばヨーロッパのキリスト教諸国が、エルサレムの奪回を理由にイスラムに攻めこんだ十字軍では、兵士たちは十字架の旗のもとに戦い、死んでいきました。それを「殉教」と言って賛美するのは、キリスト教の本質から大きく外れるのですが、この構図は、アメリカのブッシュ大統領が対テロ戦争の時、十字軍になぞらえて武力行使を正当化した現代にまで尾をひいています。どのようにして国家主義やナショナリズムや権威主義を超えるか、それは二十一世紀のキリスト教に課せられた大きな課題だと思います。

東方正教会とはなにか

池上　日本人にとってもう一つわかりにくいのは、カトリックとプロテスタント、そして東方正教会の三つの教派の違いです。

山形 たしかに分かりにくい。とくに東方正教会がそうですね。その原因は、先ほど述べたように、キリスト教がローマ帝国の国教となり、やがて東西に分裂していく帝国と、その運命を共有しているところからくるのです。

最初のきっかけは、三三〇年、ローマ帝国のコンスタンティヌス帝が、新しい都をローマから東方のビザンチウムに遷したことです。これが「第二のローマ」と呼ばれるコンスタンティノポリス（現在のイスタンブール）です。この地に帝都のシンボルともいうべき聖ソフィア大聖堂を建立し、皇帝みずからその保護者となった。教会は皇帝の直轄管理下におかれてしまったのです。これがその後、「皇帝教皇主義」という東方正教会の大きな特徴のひとつとして受け継がれていくわけです。西方ローマ・カトリック教会とはこの点が大きく違います。

池上 なるほど。最終的には一〇五四年にローマ・カトリック教会と東方正教会が分裂しますが、東方正教会は皇帝という巨大な権力を後ろ盾に、ギリシア、アルメニアなど東方諸国に勢力を拡張していくわけですね。

山形 そのとおりです。東方正教会は、十五世紀中葉、イスラム国家であるオスマン帝

■キリスト教の三大潮流

▶ローマ教皇

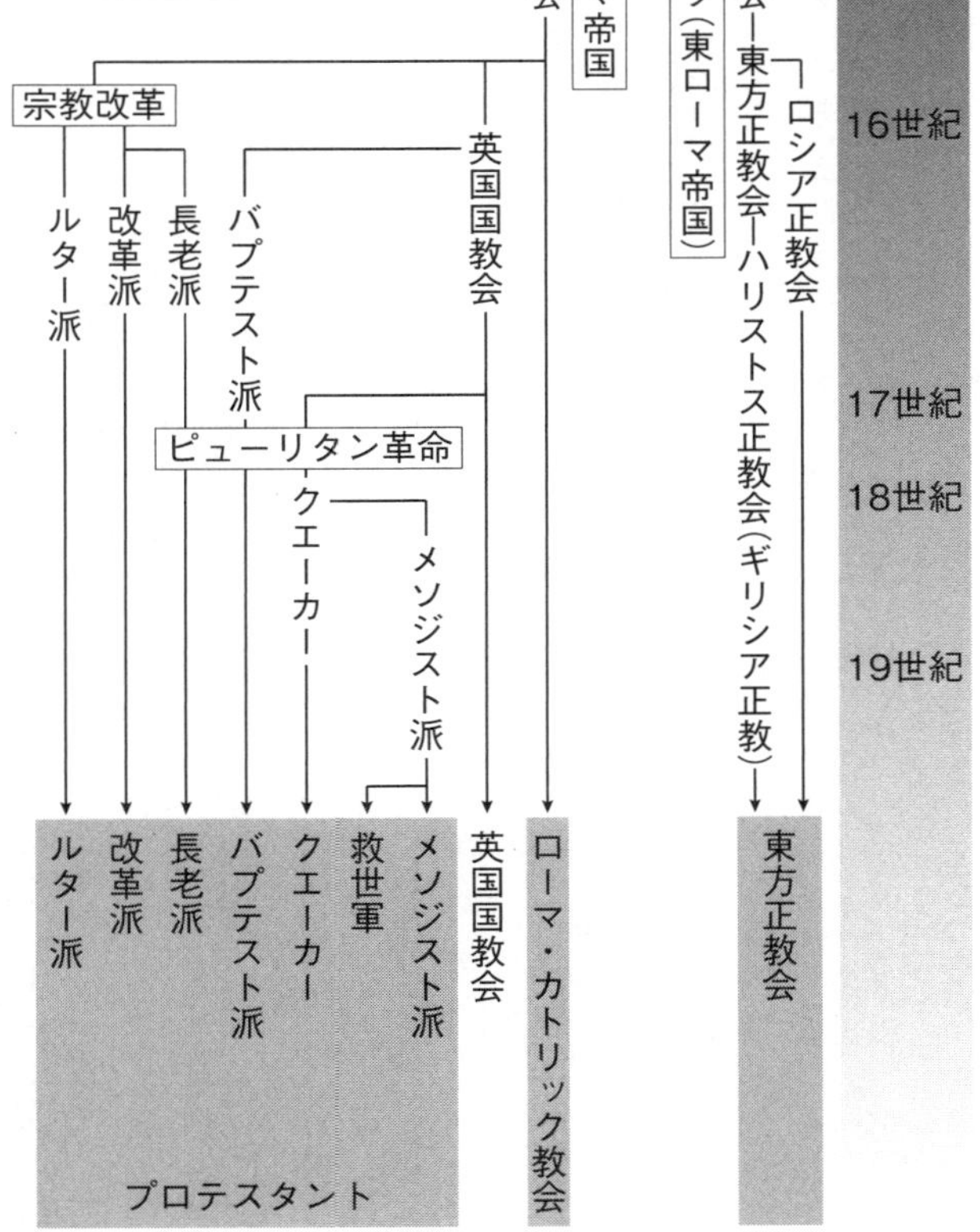

紀元
10世紀
16世紀
17世紀
18世紀
19世紀
イエス・キリスト
原始エルサレム教会
西方教会
西ローマ帝国
ビザンツ(東ローマ帝国)
東方教会
東方正教会
ハリストス正教会(ギリシア正教)
ロシア正教会
宗教改革
英国国教会
ルター派
改革派
長老派
バプテスト派
ピューリタン革命
クエーカー
メソジスト派
ルター派
改革派
長老派
バプテスト派
クエーカー
救世軍
メソジスト派
英国国教会
ローマ・カトリック教会
東方正教会
プロテスタント

国によって滅ぼされるまで、約一千年にわたって、いわゆるビザンチン文化として知られる独特な宗教文化をつくりあげました。帝国の滅亡後はギリシア正教、ロシア正教、コプト正教、アルメニア正教などに継承され、現在に連綿と続いています。

池上　日本でも神田駿河台にあるニコライ堂は大きなドーム型の屋根を持つ、ビザンチン様式の教会建築ですね。

山形　はい。ニコライ堂は、ロシア正教の宣教師ニコライによって明治二十四年（一八九一）に建立された大聖堂で、ビザンチンの壮麗な宗教文化をいまに伝えるモニュメントと言えます（現在のニコライ堂は一九二九年に再建）。

一方、この間に西ローマ帝国は、北方ゲルマン民族の攻撃にさらされて五世紀末に滅亡します。ローマ・カトリック教会は帝国という大きな後ろ盾を失い、苦難の道を歩みますが、やがてローマ法王を中心とする、いわゆる「法王絶対主義」を制度として確立していく。つまりローマ法王をトップとした教会組織をつくり上げました。その結果、教会への支配権を狙うドイツ、イタリア、フランスの国王との間にしばしば紛争を引き起こします。司教・修道院長など高級聖職者の叙任権をめぐって、法王と国王が争うわけです。世界史の教科書で「叙任権闘争」として出ているので、ここから先はよいでしょう。

池上 その「法王」というのは、現在のローマ教皇、つまりベネディクト十六世と同じ立場だと考えていいのでしょうか。

山形 そうです。以前は「法王」という訳語が多かったですね。英語では「ポープ(pope)」で、原義は「父(＝パッパ)」。ですから、果たして「教皇」という訳語が適切なのか。「法王」がよいのか。いずれにしても、その教会の最高「座」はイエスの弟子の筆頭だった使徒ペテロの後継者という位置づけで、キリスト教の現世における最高の権力者であることに変りはありません。現在のベネディクト十六世は二百六十五代目になります。

池上 二〇〇五年に亡くなったヨハネ・パウロ二世の後継者ですね。教皇は現在でも、

Q 叙任権闘争

叙任権とは、司教や修道院長の任命権のことです。現在のドイツ、オーストリア、チェコ、イタリア北部などに広がっていた神聖ローマ帝国では、皇帝が司教たちの任命権をもつばかりか、教皇の選出にまで力を持つようになりました。教会が、世俗の権力の支配を受けているために、聖職の売買や聖職者の堕落を招きました。

その腐敗に反発した聖職者たちの改革運動が盛んになり、やがて、叙任権を教会に取り戻そうとする教皇と、手放すまいとする皇帝との、長い争いへと発展します。この争いは、一一二二年のヴォルムス協約で決着。叙任権は教皇にあるものとし、教会の土地、財産などの世俗的な権利は王が授けるものとして棲み分けました。

世界のカトリック教徒の最高指導者です。カトリックは厳格なピラミッド構造になっていて、教皇の下には世界中に大司教がいて、さらにその下には神父たちがいるわけです。

「抗議する人」＝プロテスタント

池上　こうしてヨーロッパでローマ・カトリック教会が広まり、教皇や司教らが権力を持つようになった。当然、内部腐敗も進んでいく。十六世紀に資金集めのために、「免罪符」を発行するということまで始めた。「これを買えば、罪が許されて天国に行ける」という札ですね。そこで出てきたのが、「宗教改革」を主張したマルティン・ルター。これはローマ・カトリック教会の堕落だ、として強く抗議（プロテスト）したのでしたね。

カトリックとプロテスタント、そして東方正教会にはどんな教義の違いがあるのでしょうか。

山形　教義上の違いはありません。そう断言してよいと思います。もちろん聖書が大前提ですが、教義の基本にあるのは「古ローマ信条」と呼ばれるキリスト教最古の信仰告白で、すでに三世紀初頭の文書にみられます。八世紀に入って本文が確定され、以来今日の「世界教会信条」のもととなりますが、次の五つの項目からなっています。

1. 創造神 2. イエス・キリスト 3. 聖霊 4. 教会 5. 身体の甦り

この五項目の教義が正統と異端を識別する信仰の基準とされたのです。

ただし教義は同一でも、典礼（教会における儀式）は教派によって大きく違います。とくに東方正教会とローマ・カトリック教会は、ともに典礼を教会における礼拝の中心に位置づけています。見方によっては、プロテスタント教会との最大の違いは、この典礼の位置づけにあるといえるでしょう。

池上 典礼というのは、教会でお祈りをすることですね。聖歌を歌ったり、聖書を朗読したりする、教会での儀式ですよね。

山形 はい。儀礼です。もっとも代表的な典礼といえば、「聖餐式（ミサ）」でしょう。イエスの血と肉とを象徴する「パンと葡萄酒」を信徒に分け与えるという儀式で、これだけは教派にかかわらず行われています。とりわけ東方正教会は聖餐式に熱心で、そこでは「最後の晩餐」の記憶を再現し、キリストの死と復活を思い起こし、それを語り継ぐだけでなく、「槍で刺し貫かれ」、「血と水をほとばしらせる」ことを共同体の体験として共有し、再確認する。そのことに礼拝のすべてをかけていると言ってもよい。

一方、プロテスタントの教会は、「神の言葉」としての「説教」を中心に位置づけ、典礼中心主義には否定的です。プロテスタントの一派でも、とりわけ新渡戸稲造で知られるクエーカー（日本基督友会）と、内村鑑三によって創られた無教会派は、牧師制を否定し、一切の典礼を拒否し、沈黙の祈りに徹しています。

聖母マリアこそ「救い」の象徴

池上　キリスト教が誕生する以前から、中東のパレスチナ、エジプトから地中海にかけての地域には広く女神を崇拝する文化がありました。古代ギリシアやローマの神話の中でも、女神は大地の恵みの象徴として登場します。カトリックの聖母マリア信仰も、そうした地母神信仰の影響を受けたもの、という見方ができるのでしょうか。日本の神話にも、大地を創ったのは女神のイザナミノミコトとされたり、仏教でも観音様は女性だったりという考え方がありますね。

山形　ええ。全くそのとおりですね。近世の日本にザビエルによってキリスト教がもたらされた時も、民衆の崇拝を集めたのは、イエス・キリストの十字架ではなく聖母マリアだったと言われるほどですね。

女性は大地の恵みや豊穣の象徴であると同時に、母なる自然として慈愛と慈悲の象徴でもあります。九州島原の女性たちのキリスト教への入信の動機に、貧困の故に子どもを間引かねばならない言葉にできない悲しみがあった、と言われています。その悲しみを受け止めてくれる存在として、聖母マリアの中に「悲母観音」をみたのではないでしょうか。

ともすれば前近代的な遺物のように批判を浴びがちなマリア信仰ですが、私はむしろ母なるマリアの慈悲の涙にこそ、旧来のオトコ建前社会の中でこれからのキリスト教に課せられたもうひとつの豊かな可能性があるのではないかと思っています。社会の底辺で貧困や孤独にうちひしがれて涙の谷に暮らす人たちにとって、悲母観音の悲しみの涙が生きる慰めとなり、孤独からの救いとなる。そのようにも思うのです。

日本人が聖書を読む意味

池上　さて、キリスト教がいかに世界宗教になったとはいえ、やはり聖書の物語は日本とは遠い異国で起こった出来事です。現代の日本人にとってキリスト教はどのような救いとなりうるのでしょうか。

山形　むずかしい問題ですが、それは人さまざまでしょう。いま日本社会は個人主義のゆきつく果ての「無縁社会」に直面しているという見方もあります。

わたしの個人的な話をすることを許してください。私がキリスト教に入信した動機には、八歳のときに母親と死別したという経験が原点にあると思います。母は、自死したのでした。それを忘れることも、人に話すこともできないで、ずっとひとりかかえこみ続けてきました。家の中でもその話はしない。父親にたずねることもしませんでした。そのような機会はいつでもあったのに、です。母の死自体がつらいことでしたが、同時にその悲しみを誰とも共有できないでいることをとおして、いかに孤独と向き合うか、いかに悲しみと向き合うかを学んだように思います。

聖書を手にしたのは高校二年の春でした。ある時ふとしたことから、聖書の中の次のような言葉に出会いました。

「弔いの家に行くのは酒宴の家に行くのにまさる」(『旧約聖書』コヘレトの言葉)
「悲しみの家に入るのは宴会の家に入るのにまさる」(同)
「悲しむ人々は、幸いである」(『新約聖書』マタイ福音書)

これにはびっくりしました。悲しみの家に住んでいることは不幸なことで、悲しみは心に秘めておくべきものだと思いこんでいたのですが、悲しみを知ることこそがむしろ人生の出発点なんだ、と知ったのです。後になって新渡戸稲造の言葉「悲しみの門から入りなさい」と出会いました。悲しみを知ることが人間として生きることの原点なんだ、と。単純といえば、あまりにも単純な発見でしたが……。これが私の場合の、キリスト教への動機づけでした。

池上　身近な人を亡くして打ちひしがれている人にとって、聖書の言葉は大きな救いになるのでしょうね。さらに言えば、避けられない自分自身の死を受け止める上でも、支えになってくれるものでしょうか。

山形　どんなに医術や科学が発達しても、人はいつの日か必ず死ぬわけですね。その死に向かう人間にたいして、誰も何も言えない。「あなたには死しかない」なんて、医者は口がさけても言えないですよね。もう手立てはないと言うだけです。その瞬間、人はみな自分で自分の死と向かい合わなきゃいけない。

仏教ならば「空」とか「無」と言うでしょう。この世は露の世であるとか、諸行無常であるとわかればそれでよい。死ぬこともその一つ。大した問題じゃない。いわば徹底的な死の相対化ですね。

しかしキリスト教は、そうではない。死を相対化する方向には行きません。人間はみな死ぬけれども、その苦しみの代価を、キリストが十字架の死をとおして支払ってくださっている。イエス・キリストがすでに死の不安と苦しみを十字架の死で贖ってくださっている。「キリストを信じる者は、キリストとともに死に、そしてキリストとともに生きるものとなる」（パウロの手紙）と考える。「無常」とも「空」とも違う。キリストの死と向き合うわけですから。

死よ、おごるなかれですね。パウロによれば、「死は勝利にのまれてしまった」（『新約聖書』コリントの信徒への手紙）ということになります。

聖書はどこから読めばいいか

池上　死への不安があった時、一度は死ぬけれど、やがて永遠の命が与えられる、ということが救いになるわけですね。

山形　そうですね。希望は、待つこと。全力をあげて待つ。ひたすら待つ。すると待つことが、それ自体で至福であるような世界がくる。それを天国と呼ぶなら、天国はあるのでしょう。

池上　山形さんは、仙台でホスピスにもかかわり、死の告知をうけた人々と聖書を読んでいるそうですね。その時、どんなお話をなさるのですか。

山形　悲しみの極限は、愛する人との死別の悲嘆。死にゆく者にとっても、あとに残された者にとっても、耐えがたいですよね。その悲嘆に、いかに向き合い、いかに寄り添うか。

私は単純に、寄り添うことは、悲しみを記憶しつづけることだと考えています。死者を記憶しつづけるということ。それを死にゆく者へのイエスからの「別れの言葉」としています。私は忘れない、あなたがいかに生き、いかに学び、いかに人を愛したか。あなたの悲しみを忘れない……と。

キリスト教のいちばんのメッセージは「愛」だと言うけど、イエスの言う愛とは、むしろ悲しみを知ること、に限りなく近いんじゃないかと思うんです。

仏教に「慈悲」という言葉があるでしょう。この「悲」というのはどこから来るんだろうと思って、いろいろ調べたことがありました。聖書の考え方とどこかで強く触れあうところがあるんじゃないか。慈悲の「悲」を突きつめていくと、人間同士がそれぞれの悲しみを共有し、悲しみにおいて連帯しようとするところに辿り着くように思うのです。

池上　最近は「無縁社会」というように、人間同士の絆が失われつつあると言われます。その再生の手掛かりにもなるのでしょうか。

山形　人間は初めから無縁なんですね。その無縁であることの悲しみに目覚めるところから連帯は始まるのだと思います。ですから、絆がボロボロになってだめになったというより、それはあるべき原点に戻っただけで、そこから人間としての生き方が、自他をこえたもっとおおらかで豊かな、野の百合、空の鳥のような人生として始まるのだ、と考えた方がよいと思います。

池上　最後に、聖書に興味はあるが余りに分厚くてどこから手をつけていいかわからない、という人に何かアドバイスがありますでしょうか。

山形　『旧約聖書』の場合は、冒頭の「創世記」が物語として面白いし、重要です。これは流浪の民だったイスラエル民族がいかにして約束の地に辿りつくか、という物語ですが、遊牧文化から農耕文化への脱出とも文化革命とも読むことができ、人類の文化史として大変に貴重な資料です。

『新約聖書』なら、四つの福音書中最古の「マルコ福音書」をお勧めします。「マルコ福音書」は比較的神話的部分が少ないからですが、それでいて全体が「驚《サウマ》き」に満ちたイエスの「神の国運動」の物語なのです。物語として面白いですし、なかなか深い。冒頭から青年イエスが登場し敵対勢力と対決しながら、十字架の死までが一直線に語られる。わかりやすい反面、背後に隠された謎の多いミステリアスな物語です。

池上　深いお話でした。どうもありがとうございました。

■インタビューを終えて

山形さんは、幼い頃、母が自死したという辛い体験をしています。そのことを誰にも話せず、それがまた苦しみでしたが、高校二年生のとき、『新約聖書』の「悲しむ人々は、幸いである」というイエスの言葉に驚きます。

キリスト教のメッセージは「愛」だと言われますが、山形さんは、イエスの言う愛とは、「悲しみを知ること」に限りなく近いのではないかと言います。これが、キリスト教が多くの人々の心を捉えた秘密かも知れません。それはまた、仏教でいう「慈悲」の「悲」に通じるのだそうです。

「最後の審判」を待ち望む人々の意識の背景には、現世が辛く厳しいという現実が存在します。現世が厳しければ厳しいほど、人々は最後の審判を待ち望み、「神の国」の到来を待ち続けます。そこには、現世の生、老、病、死の苦しみから抜け出したいと考える仏教徒の思いと重なる部分があります。これが宗教というものでしょう。

「救済の日」をひたすら待つこと自体が至福であるという救済観があると山形さんは指摘します。人々は、この思いで辛い人生を乗り切ってきました。

イエスは現代でいえば優れた精神科医であり、優秀な弁護士であった。なるほどという指摘でした。

第6章 日本の神様とはなんですか?

神道がわかる!

安蘇谷正彦（國學院大学前学長）

1940年、栃木県生まれ。クレアモント大学大学院MA。國學院大学大学院博士課程修了。同大学教授、神道文化学部長、学長を歴任。著書に『神道とはなにか』（ぺりかん社）など。

池上　安蘇谷さんは、國學院大學の前学長で、栃木県の一瓶塚《いっぺいづか》稲荷神社の宮司でもいらっしゃいます。そこで今日は、そもそも神道とは何ぞや、ということからうかがいたいと思います。

神道は、日本人の生活のいろいろなところにごく普通に入っていて、あまり宗教という意識がないまま、私たちはさまざまな行事を行っていますが、これは宗教なのでしょうか、それとも日本古来の文化と言うべきものなのでしょうか。

安蘇谷　神道には、基本となっている柱が四つあると、私は考えています。「お祭り」「神社」「神道古典」「神道思想」の四つです。

いちばんの出発点は、「お祭り」と「神社」です。そもそもお祭りは、稲作農耕の神様に五穀豊穣をお祈りし、感謝するというところから始まっています。柳田国男は、日本列島に住んでいた人々が、「日本人」という一つのまとまりになったのは稲作農耕を始めてからだ、という説を唱えています。

池上　なるほど、日本人の出発点は稲作を始めてからだと。

安蘇谷　はい。それが日本文化、そして神道の出発であろうと思います。稲作を中心とした五穀の豊穣を、まず春に神様にお願いする。それを「祈年《きねん》祭」といいます。さらに水が田圃によく流れるように祈る「大忌《おおいみ》の祭」や、台風で害がないように祈る「風神祭」などがあり、最後に収穫の秋になると「新嘗《しんじょう》祭」で神様に感謝する。

江戸時代までは人口の八割以上が稲作農耕にかかわっており、経済の基盤が米だったわけですね。ですから、稲をつくることが生活の基礎にあり、稲作をする限りは、神様にお祈りをし、感謝する。そういう形が弥生時代以来二千五、六百年続いたととらえると、わかりやすいと思います。お祭りをすることは宗教的行為というより、稲作と切っても切り離せない生活のあり方だったというのが、私の捉え方です。

池上　ということは、つまり神道は宗教であると同時に、日本人の日本人たるゆえんの文化・生活と密接に結びついているということですか。

安蘇谷　そうですね。文化という言葉は、なかなか規定しにくいんですけど、たとえば生き方のスタイルや設計図だととらえるとよろしいかと思います。ですから、お祭りをすること自体が、何かを意識的に信じる宗教じゃなくて、稲作農耕にかかわることが日本人の生活の基本でありますから、日本人である限り、やっぱりお祭りということがいちばん大切であったと言えると思います。

そして、お祭りをするための空間が、「神社」ですね。もともとはお祭りの時だけ神様を一時的にお迎えする場所、という意味で「社《やしろ》」と呼んでいました。松や杉の枝を立てて神の宿る場所に見立てたり、石を円く敷き詰めたりしただけの簡素なものだったようです。伊勢神宮や出雲大社のような、常設の建物をもつお宮ができたのは、六世紀末頃のかなり後の時代になってからと思われます。

池上　いまのお話では、お祭りのときだけ神様をお迎えする場所が神社になったということでしたが、そうしますと神社というのは、「神様の住んでいる場所」というわけではないのですか？

安蘇谷　ええ、違います。以前に神社を爆破するテロ事件がありましたが、では爆破したら神様は一緒に死んでしまうのでしょうか。誰もそんな風には思っていないはずです。神社の本殿には鏡などのご神体がまつられていることが多いのですが、そこに神様が住んでいるわけではなく、あくまで神の実在のシンボル（象徴）と考えるべきです。そのシンボルを通して神様を拝む、としか言いようがない。伊勢神宮に天照大神《あまてらすおおみかみ》が住んでいると表現するのはよくないでしょう。しかし、天照大神は神霊として生きているわけですから、生きている天照大神を拝むには、伊勢神宮へ行って、あの御正殿の前で拝むのがいちばん良い。しかし、ほかに拝みようがないのかといったら、そんなことはなくて、大体いま、一千万体ぐらい、「大麻《たいま》」といわれる神宮の御札が全国の各家庭で祭られていますけれども、それを拝んでいるわけですね。御札を通して、天照大神を拝んでいるわけです。神様のあり方というのは時間・空間を超えているとしか言いようがない、というふうに私は説明しています。

神道における「神様」とは

池上　そもそも神道における神様とは何ですか？

安蘇谷　まず祖先の霊です。それから自然ですね。太陽神とか風の神とか。あるいは海山川などのご神霊を祭っています。

池上　それで八百万《やおよろず》の神といわれるくらい、たくさんの神様がいらっしゃるということになるわけですね。

安藤谷　自然の現象が多岐にわたりますから。その意味ではキリスト教やイスラム教のような一神教の「神」とはまったく意味合いが異なります。ただ、八百万の神のようなあり方は日本だけでなく、世界中もともとそうだったんですね。たとえば古代ギリシアやローマあるいは北欧人なども、やはり自然に基づいた多神教を信じていた。

池上　ええ。まだ、インドシナ半島に行くと、あちこちに精霊のような神様が宿るという宗教がありますものね。アフリカにもあります。

安藤谷　中近東にもあったんですよ。ところが、一神教の神様が出てきて、八百万の神が駆逐され、妖怪のようなものと一緒くたにされてしまったのです。

本居宣長《もとおりのりなが》は、「尋常《よのつね》ならずすぐれたる徳《こと》のありて、可畏《かしこ》き物」――つまり優れた働きがあって、恐ろしいもの、これが神様だと言っています。だから、オオカミもキツネも神様。人間の中で非常に尊い人も神様。天皇はもちろん神様と、そう宣長は主張しているわけですね。ですから自分たちにとって尊いものは神様で、三波春夫が「お客様は神様です」と言ったって、だれも文句言わないでしょう。

そういう説明をすると、アメリカ人もわかるんですよ。私は、入学試験の監督する先生方への挨拶で、受験生は神様だと思って丁重に扱えと言っているんだけど（笑）。それは日本人にとってはおかしくないんですよ。いまはあまり言いませんが、野球の神様だっているでしょう。小説の神様だっている。日本人であればあまり違和感をもたないでしょう。明治以降にユダヤ・キリスト教の「ゴッド」という観念が入ってきたために、混乱が生じた。だから、アメリカ人から、なんで人間が全知全能の神になれるんだとか、天皇が神様というのはおかしいと批判されますが、実際は日本人にとっての神という言葉から言ったら、おかしくないんです。

池上　つまり、同じ神という言葉で言っているけれども、一神教の神と神道の神とでは、その意味がまったく違う。それなのに同じ言葉で呼ぶものだから、人やキツネが神になるということが一神教的なゴッドになることのように誤解されて、ナンセンスだと思われやすかったということですね。

神道には「創造神」がいない？

池上　では、全知全能の神とは関連がなくて、いろいろな神々がいるんだということになりますと、神様にはランクがありますか。

安蘇谷　宣長によると、尊い神もあるし、劣った神もある。キツネなんか劣った神だから（笑）、人間がつかまえて殺すこともできる。キリスト教からいえばそんなのは神様であるはずがないという批判は出てくるんでしょう。しかし、我々の立場からすれば、全知全能の神がほんとにいるんだったら、なぜ地球をほろぼしかねない動物（人間）をつくったんだと思っちゃいますからね。

池上　ええ。なんで戦争がなくならないのかという話になりますものね。では、神道におけるいちばん偉い、位の高い神様といいますと？

安蘇谷　やっぱり天照大神ですね。「神社史」や「神道古典」が証拠です。たとえば『古事記』の中で「大御神」という言葉で表わされているのは、天照大神と天照大神を生んだ後のイザナギノミコトしかないからです。ちゃんと決まっているんですね。

池上　一神教の場合は、そもそもこの宇宙や世界をおつくりになった唯一の神様がいらっしゃるとされています。それはある意味でわかりやすいですよね。では、神道においては、この世界は誰がつくったとされているんですか。

安蘇谷　世界を誰がつくったという点について、明白な伝承はありません。『古事記』には、「天地《あめつち》初めて發《ひら》けし時、高天原《たかまがはら》に成れる神の名《みな》は」としてアメノミナカヌシなどの三柱の神が出てきますから、神様がこの天地をつくったという考え方は取らなくて、天地とともに神様も人間も現れたとしています。

池上　神道の教典とされるのは、何でしょうか。

安蘇谷　先ほど、四つの柱と言ったうちの「神道古典」にあたりますが、我々は十冊ぐらい挙げています。普通は『古事記』と『日本書紀』、そして『万葉集』とか『風土記』とか。

池上　『万葉集』もですか？

安蘇谷　ええ。『古事記』の解釈は、古語がわからないとできません。古い言葉を研究するには、『万葉集』が必要なんです。あるいは、古代日本人の世界観や神観念なども窺われる重要な書物と言えます。

『日本書紀』は、七二〇年に編纂されたことが『続日本紀』に書かれていますし、その後に『日本書紀私記』や『釈日本紀』という注釈書も出ています。ずっと読まれていたという証拠があるわけです。

しかし『古事記』は、太安万侶《おおのやすまろ》の序文はありますが、編纂時期が『日本書紀』のようには証明できないんです。しかも、写本が室町時代までないんです。そのため、江戸時代からすでに『古事記』偽書説があったくらいです。実際に我々が『古事記』を読めるようになったのは、宣長が三十五年もかけて完成した『古事記伝』という注釈書ができてからと言えます。

先ほど述べました本居宣長のように、神道古典を研究して日本人の道を明らかにするのが「国学」です。國學院大學の名前もそこから来ています。国学者の業績は、さきほど挙げた神道を考える四つの柱の最後の、「神道思想」にあたります。国学がいかに大事かというのは、我々のアイデンティティも、やっぱり国学者の『万葉集』の研究、あるいは『古事記』の研究、そういうものがあって初めて、日本国家の成り立ちや、日本人とはどういうものかがわかってきたし、日本人の主体性というのも出てきたと言っていいと思うんです。

池上 なるほどね。いわゆる日本人をそもそも規定しているのは、『古事記』であり、『日本書紀』であるということですね。そうしますと、ユダヤ教徒は『旧約聖書』を一生懸命読みますし、キリスト教徒も『新約・旧約聖書』、イスラム教徒は『コーラン』を一生懸命読みますね。同じように、神道の民は『古事記』や『日本書紀』を教典として一生懸命読みなさいとなっていますか?

安蘇谷 そういう風にはなっていませんね。日本が戦争に負けてから、『古事記』も

『日本書紀』も一般にほとんど見向きもされなくなってしまいましたが、じゃあ江戸時代までは読まれていたのかといえば、やはりあまり読まれていなかった。宣長が『古事記伝』を完成したのはちょうど一八〇〇年ぐらいですから、それまでは読めない。『日本書紀』にしても、ごく少数の知識人しか読んでいません。

神道の思想を広めたのは、『古事記』や『日本書紀』をもとに神道について説明した神道思想家たちです。中世の伊勢神道や吉田神道、近世になりますと山崎闇斎《あんさい》などの垂加《すいか》神道、それから国学者の神道。この四つが神道思想の大きな流れです。垂加神道や国学およびその影響を受けた後期水戸学などが、明

Q 国学

かつては、学問といえば、もっぱら中国の古典や仏典を学ぶことだと思われていました。江戸時代の中期に、それを批判しておこったのが、国学です。儒教や仏教の道徳を、人間の当り前な感情を押し殺すものとして否定し、日本の古典に学んで、自然な感情を大切にしようとしたのです。

研究の対象も方法も人によってさまざまなので、ひとまとめにはできませんが、日本の古典を読むことを通じて、日本の古い時代の人の心に迫ろうとしたのでした。代表的な人物が、『古事記伝』を完成させた本居宣長です。また平田篤胤は、国学をより宗教的神道に発展させ、その天皇を中核としたナショナリズムは、幕末の尊皇攘夷思想にも影響を与えました。

治維新運動のイデオロギーになりました。明治になってからは国体神道論が登場します。しかしいずれの時代も、一部のインテリが文献を研究していただけで、大衆的な広がりはもちませんでした。そこが弱点かもしれませんね。

「死後の世界」は?

池上　キリスト教やイスラム教、あるいは仏教も、いわゆる来世という、死んだら人はどうなるのかということを説いています。仏教でいえば、また生まれ変わる。必ずしも人間に生まれ変われるかどうかわからないし、浄土に生まれ変わりたいという思いもある。キリスト教やイスラム教では、死んだ後でも、ひたすらこの世界の終わりが来るのを待っていて、世界の終わりが来てから、天国か地獄に行くかが決められる、というふうになっていますね。神道では、人は死後にどうなるのか説明されていますか。

安蘇谷　はっきりとは決まっていません。高天原に行くという説や、高天原に日の少宮《わか》というのがあるんですけれど、垂加神道ではそこへ行くと言っています。それから宣長は、イザナミノミコトが黄泉《よみ》の国へ行ったから、人は死後、黄泉の国へ行くと言っています。ですから結局、死んだら高天原に行こうが、折口信夫のように海の彼方に行こうが、柳田国男のように山のあなたに行こうが、自分の好きでいい（笑）。自分が高天原に行きたいと思えば、高天原。あるいは幽世《かくりよ》、あるいは幽冥界《ゆうめいかい》といった呼び方もあります。神葬祭の祝詞《のりと》では、だいたいみんなそういうふうにいいます。神の下座につらなると言った近世神道思想家もいました。

池上　神の下座につらなるということは、死んだ人はみんな神様になるんですか。

安蘇谷　まず私なら死んだら安蘇谷家の神様、池上さんなら池上家の神様、といった風に「家の神」として子孫を見守る、という意味では全員が神様になれます。

池上　なるほど。子孫にとっての祖先の神様。

安蘇谷　そうです。祖先を家の神と言っています。しかし広く人々が崇拝する神様になるためには、それ相応の条件が必要です。第二次大戦後、湯川秀樹や三島由紀夫を神様として祭るという話がありましたが、なりませんでした。昭和天皇も神様になられませんでした。記念館はできたけど、昭和神宮はできなかった。これは戦争に敗れて、国家や共同体のために尽力する人間を神様に祭る風習が否定されたからでしょう。

ですから神様になる条件は、同時代の人たちが承認するかどうかではないでしょうか。たとえば徳川家康は東照大権現《だいごんげん》として神様になりました。あるいは乃木将軍も乃木神社で神様として祭られています。権力を持った人間なら誰でも神様になれるかといえば、それも違う。崇敬する人たちが神社らしきものを建てても、多くの人々が神社として承認しなければ、神様になれません。

池上　誰でも亡くなれば、それぞれその家の神様にはなる。だけど、広くみんなの神様にはならない。それは、みんなで、この人を神様として認めてお祭りして初めてなるんだということですね。

では、悪人の場合はどうなんでしょう。キリスト教やイスラム教では、生前正しい行いをしていないと、地獄に落ちると言われます。仏教でも、輪廻で落ちるというのがありますね。神道では、悪人はどうなるんですか。

安蘇谷　宣長は、死後善人も悪人もすべて黄泉の国へ行くと言っています。しかし一方ではこの世に残る御霊も認めて、この世でいろいろ功績を上げた人は、いつまでも神のように御霊がこの世に残ると言っているんですよね。

しかし、宣長の自称弟子であった平田篤胤《あつたね》はまた違って、神の道にはずれ悪事をなした人間は地獄のような死者の国で苦しむという主張をしています。またこの世は仮の世、来世は本《もと》つ世とも言い、大国主命《おおくにぬしのみこと》の審判があるなどの説もみられ、篤胤の死後観も整理するのが大変です。
このように同じ国学者でも人によって主張が違うんですよ（笑）。つまり、神道というのは寛大な宗教ですから、教えを統一するということがないんですね。だから違反者にペナルティーを与えることもほとんどありません。

神仏習合は不自然ではない

池上　神社にお参りするときの二礼二拍手一礼という作法は、どういうところから来ているんですか。

安蘇谷　明治になるまで拝む作法は神社によってそれぞれ相違があったんですよ。明治四十年ぐらいに神社祭式作法を定めて、それによって決まったんです。ただし、いまでも伊勢神宮では八度拝、八開手《やひらで》といって、四回拍《う》って、また四回と、八回やったり、出雲大社に行くと、四回拍手するとか、ちょっと違います。伝統的にそうやってきた作法は認められているんです。

池上　他の宗教から神道に入信するということはできるんですか。

安蘇谷　日本人である限りは、生まれながらにして住居のある地域の神社に属していることになります。

池上　それは、赤ちゃんが生まれると、お宮参りをすることと関係がありますか。いわゆる初宮詣ですね。

安蘇谷　新たな氏子の誕生を氏神に報告するわけですね。誕生を感謝し、将来を祈願することでもあります。

これは、神社が明治時代初めに戸籍制度を担った時期があったこととも関わりがあります。江戸時代にはキリシタン取り締まりのための寺請制度があって、お寺が戸籍係になっていました。それを明治初期に神社が引き継いで、氏子取り調べということをやったんです。明治六年には廃止されたので、ごく短い期間ですが、氏子の誕生を神社に報告することが義務とされました。その流れがあって、子どもが生まれたら神社に初参りするようになったんではないかと思います。

池上　そうしますと、たとえばアメリカ人が「日本文化はすばらしい」と思って日本にやってきて、「私も神道に入信したい」といったら、どうなるんですか。

安蘇谷　基本的には、住んでいる地域の神社にお願いするしかないですね。外国人が氏子になりたいと言えば、氏子総代会を開いて、その人を見て、これはだめだといったらだめになるし、これはいいんじゃないのとなれば認められるでしょうね。

池上　日本人は初詣や七五三では神社にお参りし、お葬式はお寺で行う、という風に神道と仏教が混じり合っています。これは本来おかしなことなのでしょうか？

安蘇谷　いえ、さきほどから申し上げているように、神道は稲作と結びついた日本人にとっての生活様式で、そこに後から仏教が入ってきた。神道に属しながら、仏教徒でもある、という神仏習合は日本人の重層性を示していて、少しもおかしなことではないと思います。実際、奈良時代の頃には神様がかかわるお寺が「神宮寺」と称して各地に建てられます。

Q　神仏習合

古代に初めて大陸から日本へ伝わった仏像は、新しくやってきた神として拝まれました。しかし仏教が理解されるようになると、神も人と同じように解脱を求め、救われることを願っていると考えられるようになりました。その考えによって、神社の境内に神を救済するための寺院を建立するようになります。それを神宮寺と言いました。やがて寺院に関係のある神を、寺院の守護神、鎮守とするようにもなります。

こうして神様への信仰と仏教とは、混じり合っていきました。教義や儀礼もお互いに区別のつかないほどに影響しあってきたのです。このような神仏習合は、明治時代に政府が強引に分離させるまで続いていました。

また聖武天皇をはじめとして、仏教を信仰していた天皇は歴代少なからずおられます。また白河天皇のように、出家して仏教修行をするために天皇を退位した後、法皇と名乗る場合もあります。つまり天皇の公の立場としては、神様をお祭りするのが最大のお仕事ですが、天皇を退位されれば個人としてどのような信仰を持とうが許される、という考え方でしょう。

池上　つまり神道は、もともと共同体を維持するための生活スタイルのようなものだから、融通が利く。後から入ってきた宗教を排するどころか、仏教とは混じり合ってきた。だから日本人が神社とお寺の両方にお参りするのはあたりまえというか、おかしなことで

Q　法皇《ほうおう》

皇位を後継者に譲った天皇は、太上《だじょう》天皇と呼ばれます。たいてい上皇《じょうこう》と略されますが、院と呼ばれることもあります。

その太上天皇が出家して仏門に入ると、太上法皇と呼ばれるようになります。こちらもたいてい略して法皇と呼ばれます。

ただし、出家して法皇となったからといって政治から離れるわけではありませんでした。「治天《ちてん》の君」といって、天皇の座を自由にするほどの絶大な権力をふるいました。

それを「院政」といいます。平安時代には白河法皇、鳥羽《とば》法皇、後白河法皇などが法皇として院政を行っています。

江戸時代の霊元法皇が最後の法皇となりました。

はないということですね。

個人ではなく社会の安寧を祈る

池上　では、神道の目的とは何でしょうか。

安蘇谷　神社の役割を考えるために、神社を二つの理念型に分類しますと、「産土《うぶすな》型神社」と「勧請《かんじょう》型神社」になります。「産土型神社」は、五穀の豊穣や、共同体の安寧を祈ることが第一の役割です。五穀が豊穣であるかないかは日本人の死活問題でした。もう一つの「勧請型神社」は、家内安全や商売繁盛といった個人の幸福を願う。どの宗教もみんな持っているような除災招福という現世利益的な面を神道も持っています。ただその場合も、共同体の安寧がない限り、個人の安寧はないという立場です。その意味では、個人の救済を目的とするキリスト教や仏教のような宗教とは、かなり性格が異なることになります。

池上　そのように共同体としての営みと深く結びついているのが神道であるとしますと、農村人口が激減し、昔ながらの共同体が崩壊している現代は、神道の危機ということになるのではないでしょうか。

安蘇谷　そうですね。いま言ったように産土型神社の役割は、春に五穀の豊穣を神様に祈願し、秋に豊穣を感謝する祭りを行うことでした。それによって共同体の安寧が得られ、日本人の間に神様への信頼が育成された訳です。そういう生活のあり方が、近代以後徐々に変化し第二次大戦後急速な高度経済成長期を経て農業人口が激減し、農山村地域の過疎化が進み、産土型神社の役割が形骸化しつつあると言わざるを得ません。

けれども一方では、稲荷神社、八幡様、天神様など「勧請型神社」における個人祈願を主とした役割は、現在も盛んに行われています。しかもお神輿《みこし》や山車《だし》などの行事には、多くの人たちがボランティアで参加し、祭典にかかる費用なども積極的に協力してくれます。人口の多い都会と田舎では温度差があるようですが。

池上　社会の在り方が変化したために形骸化しつつあるという産土型神社は、これから、その役割を変えざるをえないのではないかと思われます。今後の神道はどうすればいいんでしょう。

安蘇谷　非常に難しいですね。現代社会における神道の役割は、神道の理念から言ったら、地域社会のために奉仕する。あるいは国家のために尽力する。そういう精神をどうやって涵養するか、育成していくかが大きな課題と言えます。とりわけいまの震災後の非常時には、神社も最大限の力を発揮すべきでしょう。

神職者の主たる仕事は、神社を聖なる空間として維持管理すること、およびお祭りをきちんと執行することです。ところが神社の管理も祭りの執行も、神職の力だけで行うことは不可能で、氏子・崇敬者の支援や協力が無ければできません。とすれば、神社のために奉仕したいという人間をどのように育成するかが、神社界にとって現実的な課題とも言えます。

しかしある経済学者が現代日本を「自分さえ良ければ病」が蔓延している状況と述べましたが、そういう中で「共同体への奉仕の精神」を育てるのは、たいへんですね。

池上　なるほどねえ。日本人にとって「空気」のように当たり前の存在だった神道ですが、岐路を迎えているのかもしれませんね。

■インタビューを終えて

日本の神道は、同じ「神」でも、キリスト教やイスラム教の神とはずいぶん異なります。日本の神様は、どういう存在なのですか。これが私の素朴な質問でした。

安蘇谷さんの答えは、祖先の霊であり、自然なのだ、ということでした。自然現象は多岐にわたりますから、それだけ多くの神様が存在することになります。ヨーロッパにも多神教はあったのに、一神教によって駆逐されてしまったというわけです。

日本の神道に、この世界を創造したという、いわゆる「創造神」はいません。創造神がいないという点では、仏教と同じ。どうも日本人の多くは、「この世界」がそもそも存在することを前提に考えているようです。

ユダヤ教やキリスト教、イスラム教に教典があるように、日本の神道にも教典がある。それが『古事記』や『日本書紀』であることはわかりますが、まさか『万葉集』や『風土記』までが入っているとは、恥ずかしながら、目からウロコでした。

死んだら人はどうなるのか。国学者でも人によって主張が違うという説明には驚きました。「神道というのは寛大な宗教ですから、教えを統一するということがない」そうです。いろいろな宗教に対して寛容な日本人。神道は、まさに寛容な日本人にふさわしい宗教なのかも知れません。

第7章 『コーラン』で中東情勢がみえますか?

イスラム教がわかる!

飯塚正人(東京外国語大学教授)

1960年、神奈川県生まれ。東京大学文学部卒業、同大学院博士課程中退。著書に『現代イスラーム思想の源流』(山川出版社)など。

池上　飯塚さんは東京外国語大学アジア・アフリカ言語文化研究所の教授で、イスラム学、中東地域研究を専攻していらっしゃいます。今日はイスラム教についての素朴な疑問から、いろいろ伺います。

まず、日本人はよく「アッラーの神様」と言いますが、イスラム教で「アッラー」と言うのは神様の名前を指すのではなく、「神」そのものを表す一般名詞ですよね。ユダヤ教でいう「ヤハウェ」（ヘブライ語）、キリスト教でいう「ゴッド」（英語）と同じで、それをイスラム教では「アッラー」（アラビア語）というわけです。それぞれの言葉で「神」を呼んでいるだけのことで、三つの宗教の神は、実はすべて同じなのですね。

飯塚　少なくともイスラム教徒はそう考えています。ですからアラビア語が母語のところでは、キリスト教の教会に行きますと、アッラーと書いてあるんですね。

池上　ユダヤ教徒やキリスト教徒は違うのですか。

飯塚 問題は、ユダヤ教徒やキリスト教徒が認めるかどうか。彼らの中には「イスラム教は別の神様を信じている邪教だ」と考える人もいます。認めるかどうかは、その人次第というしかない。たとえば9・11直後の追悼集会で、ブッシュ大統領は、モーセの神、イエスの神、ムハンマドの神と、神様を三つ並べて言っているんですね。ですから一応ブッシュ大統領は、あの演説を聞く限りは、イスラム教徒が、ユダヤ教、キリスト教と同じ神様を信じていると認めたことになります。

池上 本心かどうかはともかく、政治的にはそういう扱いになりますね。日本語だと、「神々」という言葉ですんでしまうところですけども。「神々」という言葉は、イスラムにおいてはあり得ないのでしょうか。

飯塚 「神々」を意味する「イラーハ」というアラビア語はあります。しかし、言葉があるということと、それが本物だと認めることとは別ですので、イスラム教は、ほかのものは全て神とは認めません。唯一絶対のアッラーだけが神様ということです。

池上 イスラム教の創始者である預言者ムハンマド（マホメット）があらわれる前のアラビア世界では、どうだったのでしょうか。

五七〇年にメッカで生まれたムハンマドが、四十歳のころ、洞窟で突然神からの言葉を聞き、人々に伝え始めた。アッラーの啓示を書き留めた本を、本来は『クルアーン』と発音しますが、ここでは日本で一般的な『コーラン』という呼び方で話を進めさせてください。これがイスラム教の始まりとされますが、それ以前に始まっていた、キリスト教やユダヤ教の影響は、どの程度あったのでしょうか。

飯塚　メッカは古くから多神教の世界でした。当時は、いろいろな部族に、日本で言うところの氏神様がいて、その氏神様の偶像をつくって、メッカのカアバ神殿に、それぞれの部族が置いて崇拝していたのです。そういう意味では日本の八百万の神と非常に近いようなところがあった。そんな状況のメッカではムハンマドは無視され、迫害されて、メッカより北に四百キロほど離れたマディーナ（メディナ）に移った。

池上　それが六二二年の「聖遷（ヒジュラ）」ですね。

飯塚　新天地マディーナでも、全員がユダヤ教徒という部族が二ついて、ムハンマドはその部族を抑えつつ、メッカの反対勢力とも戦ったのです。

池上　そのマディーナの時代に、ユダヤ教の影響をずいぶん受けたわけですね。『コーラン』には、ずいぶんユダヤ教徒とのかかわりが出てきます。

飯塚　そうですね。メッカにいる間は、ムハンマド自身はユダヤ教徒やキリスト教徒と出会ったことがありませんから、同じ神を信じるユダヤ教徒やキリスト教徒は自分の味方だと思っていたわけです。それでマディーナに行くのですけれども、あたたかく迎えてくれるかと思ったら、ユダヤ教徒の二つの部族は、預言者はイスラエル人しかあり得ない、アラブ人が預言者になるわけがない、おまえは偽預言者だと、ムハンマドを否定するんです。それで関係が悪くなっていきました。

池上 『コーラン』を見ますと、ユダヤ教徒、キリスト教徒に対して、「啓典の民」という言い方で、かなり好意的に書いている部分と、ユダヤ教徒に対する敵意が強く出ている部分があります。『コーラン』はムハンマドが声に出した「神の言葉」を信者たちがの

Q

コーラン(クルアーン)

ムハンマドは成功した商人でしたが、四十歳近くになると、メッカ郊外の洞窟にこもって物思いにふけるようになりました。あるとき、その洞窟に天使が現れ、「誦《よ》め」と命じます。神の言葉の記録を伝えるから、声に出せというのです。ムハンマドは驚き、抵抗しますが、天使はムハンマドを羽交い締めにして、どうしても誦めと迫ります。怯えるばかりのムハンマドを妻が励まし、最初の信者になりました。

ムハンマドが伝えた神の言葉は、信者たちに暗唱され広まっていきました。ムハンマドが亡くなった後、その神の言葉を書き留めてまとめた本が『コーラン』です。ですから物語の形ではなく、百十四章の断片的な文章から成っています。

ちにまとめたものです。その言葉からムハンマドが敵対する勢力と戦っていた当時の様子がうかがえるわけですね。

飯塚　ええ。ユダヤ教に対する表現ははっきりと、マディーナに行って一年ぐらい経って変わっています。自分を偽預言者扱いしたうえに、メッカの敵と通ずるというようなことまであったので、「ユダヤ教よりも我々のほうが正しい」という主張が強く出てくるようになったんですね。

池上　しかし、信者でない者からすれば、神様はみんなお見通しなのだったら、最初からそうおっしゃればいいはずなのに、実際にマディーナに行ってみたら違っていたのでは、結局、「神の言葉」とは、ムハンマド個人の考えだったんじゃないかと思ってしまうんですけれども。

飯塚　そのへんはイスラム教徒は許容範囲だと思っているのではないでしょうか。もともとユダヤ教やキリスト教が「先輩」だという構図は、その後も崩れないわけです。ただ、まさに池上さんがおっしゃるように、「神の言葉」でありながら、『コーラン』に世界のすべてについて書かれているわけではありません。言うことが変わることもあるわけです。つまり、『コーラン』の言葉はある種、全て相手を見て喋っているのだということにもなります。それはユダヤ教徒やキリスト教徒との問題だけではありません。

例えば、核兵器を使っていいかは、当然『コーラン』には出てこないわけです。ムハンマドが生きていたのは六〜七世紀ですが、イスラム教徒の解釈によれば、「当時の人間に核兵器のことを言ってもわかるわけがない、だから神は言わなかった」というのです。

あるいは飲酒についても、ムハンマドは何度か啓示を受けていた。最初は飲んでいいとなっていたのが、だんだん変わっていって、最後は飲んではいけない、ということになりました。これも、相手を見て変えたということです。もしお前たちが節度を持って酒を飲めるのだったら飲んでいい。ところが節度が持てないのでだめにした。そういうふうに、変化したところについては説明されています。

池上　なるほど。『コーラン』には酒を飲むと、互いに憎しみ合うようになり、神を忘れて礼拝を怠るようになるからだ、と書かれていますが、当時、本当にそういう人がいたということなんでしょうね。

なぜ女性をベールで覆うのか

池上　ところで、預言者ムハンマドが「神の言葉を聞いた」として登場するのは七世紀はじめてです。ユダヤ教（紀元前十三世紀）やキリスト教（紀元一世紀）から比べるとかなり歴史は新しいですよね。同じ神様なのに、なぜ、ムハンマドに改めて神の言葉が伝えられたのでしょうか。

飯塚　イスラム教徒に言わせると、モーセとイエスがもらったメッセージは、それ自体は正しいものだったけれども、それをユダヤ教徒、キリスト教徒が、ちゃんと保存しないでねじ曲げてしまったからです。典型的には、キリスト教徒が単なる人間であるイエスを神の子である神だとしてしまった。

池上　神は唯一の存在で、イエスは「神の子」ではなく、神の声を聞いた預言者の一人ということになるわけですね。一方、ムハンマドは預言者なので、イスラム教では彼を尊敬しても、崇拝する対象とは考えないわけですね。

飯塚　モーセやイエスなどの預言者に対して、神はこれまでも言葉を伝えてきたのに、人々はその教えを曲解している。そこで神は、『コーラン』という最終的に正しいものをムハンマドに送って、それをそのまま保存しろと言った、ということなのです。

池上　『コーラン』は「神の言葉」をそのまま記録したということになっていますから、断片的な文章が並んでいますね。『旧約聖書』や『新約聖書』のような読みやすい物語形式にはなっていません。しかも、アラビア語で神から伝えられたということなので、アラビア語で書かれたものでないと、正式な『コーラン』とは見なされない。「神の言葉」を厳格に伝えていこうとしているわけですね。

飯塚 しかも、ムハンマドが最後の預言者で、彼以降、神の声を聞く人間はいないということなので、イスラム教徒がこれをねじ曲げてしまったら全人類が決して救われないということになるわけです。

池上 たとえば女性はベールをかぶらなくてはならない、といったイスラム世界のルールは、すべて『コーラン』に書いてあることなのでしょうか。

飯塚 『コーラン』には女性の服装についての記述が主に二カ所あります。一つは「女性たちにジルバーブを纏うように告げなさい」というもの。ただし、ジルバーブというアラビア語には、ベストという意味も、マントという意味も、ベール（ヒジャーブ）という意味もあり、幅があります。

もう一つは、「女性の体のうち外に出ている部分は仕方がないが、それ以外の美しいところは隠せ」というものです。これもずいぶん幅のある表現ですね。美しいところがまったくないと考える人はビキニで歩けることになるし（笑）、全部が美しいと考える人は全身を覆わなければならなくなる。その解釈によって、アフガニスタンのブルカのようにすべてを隠す服装をする国もあれば、トルコのように欧米や日本と同じ服装でいい、という国も出てくる。もちろん単に『コーラン』に書いてあるから、というだけではなく、夫や親が露出度の高い服装をさせないようにしてきたから、という理由もあると思います。

余談ですが、中東の男性は、女性の髪の毛に猛烈に興奮するようです。だから髪の毛を隠すようになった、という説が有力です。

池上　では、「豚肉を食べてはいけない」というタブーは、どういうところから来ているんでしょうか。

飯塚　これもまた『コーラン』に、「豚肉や死んだ動物の肉を食べてはいけない」と書かれているのです。ただ、その理由まではっきりしません。推測すると、豚は汗をかかないので、体温を調節するために水浴びをする必要がある。水の豊かでない中東では、代わりに泥をつけたり、それもなければ自分の糞を身にこすりつけることもある。そんな不潔な動物を食べる気にはなれない、といったところではないでしょうか。

池上　ムハンマドの時代に、アラビア半島で豚の伝染病が流行していたから、という説もありますね。これは現在でも厳格に守られていて、豚肉でなくとも豚を原料とした食品は許されない。

二〇〇一年に起きた、インドネシアの「味の素」騒動もそうでした。イスラム教徒が多いインドネシアで、「味の素」の製造過程で豚の内臓に由来する酵素が使われていたとわかって、日系企業「インドネシア味の素」で働いていた日本人の社長や社員たちが逮捕されたほどでした。後にインドネシア政府が、最終製品の「味の素」に豚の成分は含まれないと判断して釈放されたのですが、イスラム教徒はそれだけ豚肉を嫌っているわけですね。

ラマダン月の断食はユダヤ教の習慣？

池上　では、一年のうち一カ月間、夜明けから日没まで食事をとらないラマダンの断食は、どのように始まったのですか。

飯塚　実は、断食はもともとユダヤ教の習慣なんです。それをムハンマドが見て取り入れた、と言われます。ただ後にユダヤ教との関係が悪くなると、ユダヤ教に近い習慣は止めようという動きが出てきます。ユダヤ教では、ヨムキプール（贖罪の日）と呼ばれる一日、日没から翌日の日没まで断食をするのですが、イスラム教ではイスラム暦の九月にあたるラマダン月の一カ月間、夜明けから日没まで断食をするように変わった、と言われています。

池上　ラマダン月の断食はどういう教えなのでしょうか。

飯塚　実はこれも、理由までは『コーラン』に書かれてはいないのですが、おそらく、貧しい人の気持ちを知らなければいけないというところから来ているのでしょう。しかし、彼らは日没後に普段よりも盛大に食事をします。ラマダン月にかえって太ってしまう、という話もあります（笑）。

池上　病人や子ども、旅行者、妊娠中の女性、乳児を持つ母親などは断食しなくてもよい、ともされていて、そのへんは寛容にできています。しかし、一方で『コーラン』は「一夫多妻」を認めている。これには私たち日本人だけでなく、欧米諸国の人たちも大いに戸惑ってしまうわけです。「女性差別ではないか」という批判もありますね。

飯塚　一夫多妻の根拠は、『コーラン』に、「おまえたちがみなしごに公正にしてやれそうもなかったら二人目、三人目、四人目の妻をもらえ」と書いてあることです。しかし、一体これはどういう理屈なのか実はあまりよくわかっていません。戦争で夫を失って、乳飲み子を抱えて困っているような女性を助けてあげなさい、ということだとも言われます。

池上　なるほど。しかし、現代のイスラム社会では複数の妻を持つ男性はきわめて少数のようですね。テレビでお馴染みの「デヴィ夫人」は、インドネシアの故スカルノ大統領の三番目の夫人でしたが。

飯塚　ムハンマドは十人を超える妻を迎えています。最後の、最愛の妻であったと言われるアイシャは結婚した時にまだ毬《まり》で遊んでいた年頃だった。これが根拠になって、イスラム世界では少女が非常に年上の男性と結婚させられることがあり、社会問題です。

池上　姦通には石打刑という残酷な刑罰が科されますね。

飯塚　これも『コーラン』に、「姦通は石打刑」とはっきり書いてあるので、そうしないと神の命令に従ったことにならない。姦通の定義は、婚姻関係にないカップルが性的関係をもつことです。同性愛も姦通にあたります。殺人を犯しても斬首刑なのに、姦通のほうがより苦痛の大きい石打刑というのはアンバランスではないか、という考え方もあるでしょう。死ぬまで石を投げつけられるわけですからね。

池上　実際に、今でも石打刑を実施している国があるのですよね。

飯塚　イラン、サウジアラビア、パキスタン、スーダンの四カ国だけは現在でも石打刑を実施しています。しかしそれだけ厳しいのは、姦通罪のような犯罪こそが社会の秩序を最も強力に破壊する、とイスラム世界が考えてきたからに他なりません。

池上　非常に禁欲主義的な印象ですね。しかし、『コーラン』によると、天国に行けた者は幾人もの美女が妻となって一緒に暮らす、と書いてあります。快楽主義的なイメージなのですよね。

飯塚　実はイスラム教は、キリスト教と違って性欲に否定的ではありません。むしろ人間の根源的な歓びで、十分楽しむべきだと考えている。ただその分、野放しにすると男も女も朝から晩まで性欲のことで頭が一杯になってしまい、神のことなど忘れてしまうのではないか、と心配するのです。なぜ女性が髪の毛を隠さねばならないのか、という先ほどの話にも通じるのですが、きちんと婚姻関係という枠の中で楽しめ、と言うのです。

知られざる『ハディース』の存在

池上　『コーラン』とは別に、『ハディース』という文書がありますね。多くの日本人は、『コーラン』は知っていても、『ハディース』の存在は知らないと思うんです。これについてご説明をお願いできますか。

飯塚　『コーラン』はムハンマドが聞いた「神の言葉」をそのまま記録したもので、断片的な文章が並んでいるわけです。理解しにくい部分もある。そこで『ハディース』の存在が必要になる。これは預言者ムハンマドの言ったこと、やったことを記録したもので、『コーラン』に次ぐ聖典扱いをされています。つまり、『コーラン』に書いてないことを知る上で、『ハディース』に書かれた、ムハンマドの発言や行動がよすがとなるのです。

池上 『ハディース』には礼拝の方法など、イスラム教徒がとるべき行動が書いてあるのですよね。イスラム教徒の男性はあごひげを伸ばす人が多いですが、これも『ハディース』の「ムハンマドは長いあごひげを生やしていた」という記述が由来です。いわば『ハディース』は『コーラン』を理解するための「参考書」ですね。

飯塚 神ではないムハンマドの言動をなぜ参考にするかといえば、たとえばムハンマドがやってはいけないことをしたら、当然神が止めるはずで、それが止められていないなら、全て神のご意思にかなっている。そう解釈されるからです。

卑近な例で言いますと、ムハンマドが出かけようとしたが膝の上に猫が寝ていたのでやめた、というような記録が残っているわけですね。そうすると、猫をかわいがるのがイスラム教徒にとっていいことだ、神様の意思だとなってきます。

池上 今、猫の例がありましたが、犬はどうなんでしょうか。

飯塚 犬は基本的に、イスラムでは歓迎される動物ではないです。犬に嘗《な》められると礼拝の前にもう一回ちゃんと体を清めなければいけない。そういう意味で不浄だと考えられています。それから、『ハディース』の中に、「黒い犬は悪魔の使いだ」というような言葉があるんですね。なので、あまり犬は愛されない。かといって、見つけたら全部殺してしまえということではないので、現実にはそれなりに犬はいます。

池上 私がヨルダンでパレスチナ人の難民キャンプに行ったら、全く犬の姿を見なかったんですよね。やっぱり犬が嫌われているからかなと思ったりしたんですけれどもね。ムハンマドが犬嫌いだった、という話もありますしね。

飯塚 礼拝についても、『コーラン』には、礼拝しろとは書いてあるのですが、その仕方は一言も書いてないんです。メッカ巡礼も、具体的なやり方は全て『ハディース』の通り、つまりムハンマドのやり方に従うことになっています。

『コーラン』や『ハディース』は覚えきれない

池上 信者としては、『コーラン』だけ読んでいればいいんですか。『ハディース』も読んだほうがいいんですか。

飯塚 基本的には『ハディース』も読んだほうがいいんですけれども、『ハディース』

というのはとんでもない数があるわけです。しかも覚えていなければ意味がありません。

池上 日本語訳されているものでも、数百ページの文庫で六巻にもわたります。

飯塚 しかし一般人は、『コーラン』だってそう簡単には覚えられません。調べればわかる、というふうになったのは、活字印刷ができて、索引ができてからのことです。今はコンピュータで検索すればすぐ出て来ますけれども、かつてはそんなことは到底できませんでした。それを要求されたのは、イスラム法学者たちです。

池上 いま「イスラム法学者」という言葉が出ました。「神の前ではすべての人間は平等」と説くイスラム教では、キリスト教の神父・牧師にあたる聖職者はいないとされていますよね。では、イランなどで指導的立場にあるイスラム法学者とは、どういう存在なのでしょうか。

飯塚 イスラム法学者は、『コーラン』や『ハディース』を勉強して、さらに法的な手続きというのを学びます。わかりやすい例としては、『コーラン』には「ハムルを飲んではいけない」と書いてある。ハムルとはワインのことです。では、ビールはどうなんだ、日本酒はどうなんだという時に、手続きが決まっているんですね。なぜワインを飲んではいけないかという理由をまず分析する。そうすると、精神の状態が変わることが原因だということで合意ができる。であれば、日本酒も焼酎もだめだろう。ビールは微妙ですけれども、アルコール度が低いので量によっては飲んでいいという人もいます。それから、コーヒーも精神的な状態が変わりますので、だめだという議論も一部にはあるんですが、いずれにしても、『コーラン』が禁止している理由を確定して、他のものと比較することによって一つ一つのことを判断していく。

こういう手続きを全部学んだ人たちがイスラム法学者ということになるわけです。『コーラン』や『ハディース』をすべて暗記しているわけではない一般信者は、イスラム法学者の言うことに従って生活していかないと神の意思に反することになってしまう。だからついていくということですね。

池上 どのように生活すれば神に背かないでいられるのか、教えてくれる人なわけですね。しかし、それでも聖職者ではない。

飯塚 はい。イスラムでは、カトリックのように「聖職者が神と人間の間を仲介する」という考え方をしません。神と人間は一対一で向き合う。そういう意味で聖職者はいないとされています。宗教会議もないし、イスラム法学者も聖職者とは見なされません。

ただ、何がやっていいことで何がやってはいけないことかを教えてくれるのがイスラム法学者ですから、彼らはそれなりの地位を占めます。イスラム教徒の中でもシーア派では、ずいぶん時代が下ってからですけれども、法学者の序列ができてきます。ただ、これも不思議なことに、トップがいてその次をランク付けしていくというのではなく、かといって宗教会議があるわけでもないので、みんなが「この人はどうもそういうレベルにきてそうだ」というふうに思うと、そうなっていく。別に決める主体があるわけではないんです。

池上 人気や評判でなんとなく決まっていくということでしょうか。面白いですね。

スンニ派とシーア派

池上 今、シーア派という言葉が出ましたが、イスラム教徒の九割を占めると言われるスンニ派と、イラン、イラクなどに多いシーア派は、そもそもどうして分かれて、どういう違いなんでしょうか。

飯塚 もともとはムハンマドが亡くなったあと、誰が指導していくかという意見の違いからです。スンニ派は、誰がトップに立つか話し合い、最高指導者の「カリフ」を決めた。

池上 カリフというのは「預言者の代理人」ということですね。

飯塚 一方、シーア派は、ムハンマドのいとこで娘婿であるアリーの血統が正当な後継者であり、カリフは認められない、と考えた。それが二つの派に分かれた理由で、六六〇年代の出来事です。

池上　教義の違いはどの程度あるのでしょうか。スンニ派は『コーラン』の教えに準じて「偶像崇拝」を禁止し、シーア派はあまりこだわらないということはあるようですね。イランでは指導者の肖像画がいたるところに飾られています。

飯塚　そうですね。しかし、スンニ派の国でも指導者の写真がたくさん飾られている所もありますし、日常生活に限っていえば大きな違いはほとんどありません。せいぜい礼拝の時の作法が微妙に違うとか、ウナギを食べるか食べないかという、その程度なんです。

Q

ホメイニ

イランでは、一九六三年からパーレヴィ皇帝が行った改革が、貧富の格差を広げて反発を招き、烈しい抵抗運動が起きました。改革を最初から批判し、抵抗運動を呼びかけたのが、シーア派の法学者であるホメイニでした。国外追放され、長い亡命生活を続けながらも、ホメイニは抵抗運動の精神的指導者でありつづけました。

一九七九年に皇帝がエジプトに亡命すると、ホメイニは十五年ぶりに帰国し、公正な法学者が政府を指導監督すべきであるという「法学者の統治論」にもとづく、イラン・イスラム共和国を成立させました（イラン革命）。以後、国家元首である最高指導者となり、一九八九年に没するまで、その座にありました。

■イスラム教徒の多い国ぐに

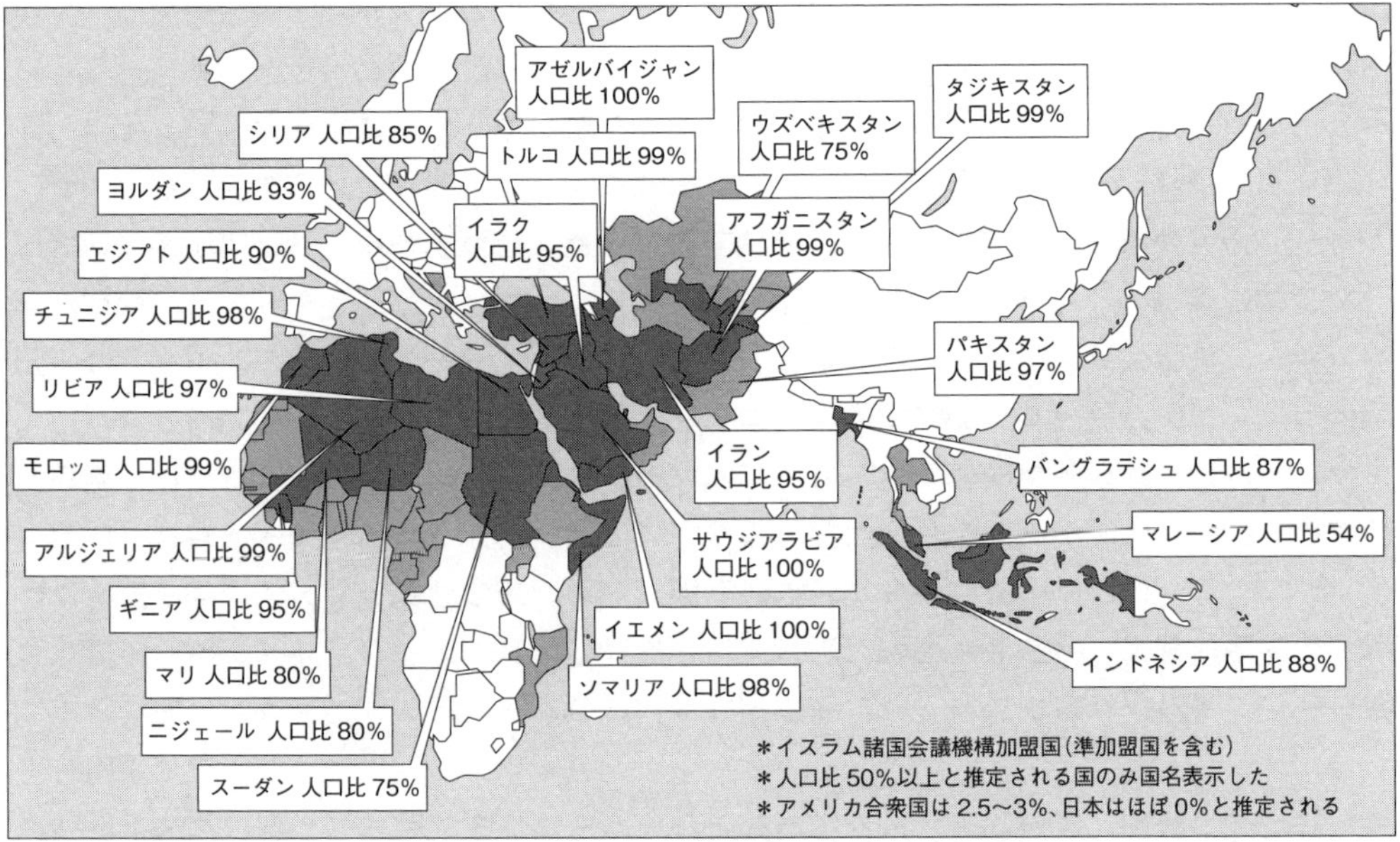

池上彰『大人も子どももわかるイスラム世界の「大疑問」』講談社＋α新書より作成

しかも九世紀にはシーア派が担いだアリーの血統も絶えてしまうので、両者の対立はますます意味がなくなった。

それが再び対立するようになったのは二十世紀後半になってからのことです。シーア派が多数を占めるイランにホメイニという極めて独創的な思想家が出て、宗教と政治が一致した体制を作り、スンニ派がひどくシーア派を警戒するようになりました。

池上　お隣のイラクでも、スンニ派とシーア派の殺し合いが起きるようになりましたね。

飯塚　そこには二つの大きな理由があると思います。イラクがシーア派化してイランと一つになって行動した場合、世界の原油のかなりの部分をコントロールできる。人口も両国を合わせると一億を超えます。そこでイラン革命後は近隣のスンニ派諸国が、イラクでは少数派であるスンニ派のサダム・フセインを支援して力をつけさせた。虐げられたシーア派は当然恨みます。その不満がフセイン政権が倒れた後に噴出したのでしょう。

もう一つの非常に大きな理由は、サウジアラビアという国の問題です。サウジアラビアは、ワッハーブ派というスンニ派の中でも特殊な、かなり過激な宗派が国教になっている。ワッハーブ派にとって、諸悪の根源はシーア派なんですね。サウジの人間たちはかつてイラクまでシーア派のリーダーの墓を壊しに行ったりもしています。私は、イラクで行われているシーア派に対するテロは、かなりの部分がサウジ出身者によるものではないかと、特に最初の頃は思いました。

池上　そのようにイスラム教徒がいろいろな派に分かれて争っていることは、神様の教えをねじ曲げているのではないかという話にはならないのですか。

飯塚　実は、「イスラム共同体は派として七十三に分かれて、そのうちの一つだけが正しい」という、ムハンマドの言葉が残っているんです。ですから分裂するのは、むしろ大前提なんですね。実際には七十三もの派はありませんが、イスラムの学者たちは本に書くために、むりやり七十三の分派をつくったくらいです。

池上　これから先に分派が出るのかもしれないですよね。ムハンマドの言葉なのですから。ずっと先まで読んで。

飯塚　それは大いにあり得ますね。「一つだけ正しいのがあって、ほかは間違っている」という言葉があるので、対立するのが間違っているというふうに考えるよりは、自分たちこそが正しいと最後まで頑張るという形になっているのだと思います。

自爆テロの論理は

池上　最近イスラム教徒がよくニュースになるのは、ジハード（聖戦）ですよね。自爆テロが起きたりしますが、これはそもそもどういう関係なんでしょうか。

飯塚　一九七三年の第四次中東戦争で、エジプトのサダト大統領がユダヤ教国であるイスラエルとの戦いを「ジハード」と言いだしたのが発端です。要するにイスラム教徒の領土を守るための自衛の戦い、ということです。

自爆テロについては、アルカイダも9・11の直前まではやっていませんでしたし、ジハードが必ずしも自爆テロに結びつくわけではありません。自爆テロを一般化させたのはレバノンのシーア派組織「ヒズボラ」です。ヒ

> **Q 第四次中東戦争**
>
> イスラエルと周辺のアラブ諸国との戦争を、中東戦争と呼びます。アラブの土地にユダヤ人の国、イスラエルが建国されたことに端を発して、一九四八年から、四回の大規模な戦争がありました。
>
> 一九七三年十月に起こったのが、第四次中東戦争です。その前の戦争で領土をイスラエルに奪われたエジプトが、土地を取り返すために、シリアとともにイスラエルに先制攻撃を加えて始まりました。まもなくイスラエルが反撃し、国際社会の調停により停戦。このときアラブ諸国が戦いを有利にするため、イスラエルを援助する西側諸国への石油の輸出価格を上げたり、輸出を禁じたりしたことから、オイルショックが起こりました。

ズボラは、圧倒的なイスラエルの軍事力と戦うのに、ただ行っても撃たれて殺されてしまうので、自分の体を武器にするということを考え出した。ただ、イスラムは自殺を禁じていますから、「これは自殺ではない」という理屈にするわけです。あくまでもこれはジハードだ、と。ここで自爆とジハードが結びつきました。

よく言われるのは、『コーラン』の中に「神の道のジハードで倒れたものは死んだと思ってはならない。彼らは神のみもとで生きている」とあって、つまりジハードで死ぬと、この世が終わるのを待たずに天国へ直行できる。それで自ら進んで喜んで自爆テロをやるんだという説明が、以前から特にアメリカで

Q ヒズボラ

レバノンを中心に活動している急進的なシーア派の政治組織です。ヒズボラとは、アラビア語で「神の党」を意味します。

イラン型のイスラム共和制をレバノンに建国し、非イスラム的な影響を排除することを目的として、一九八二年に結成されました。反欧米の立場を取り、イスラエルの殲滅を掲げています。

一九九二年には、軍事部門を分離して別の組織としました。議会派「レジスタンスへの忠誠」を結成し、議会選挙では着実に議席を得て、二〇〇五年には連立内閣に参加しています。

貧困者層のための教育や福祉のネットワークも作っていて、貧しい人々からの支持を得ています。

されてきました。アメリカのキリスト教原理主義者「ニューライト」と言われる人たちにも、この世の終末まで待って天国へ行くのではなくて、一刻も早くこの世が終わって直行で天国へ行ければいいと考えている人たちがいるんですね。その人たちからすると、この説明は非常にわかりやすい。それでこの説明が特にアメリカで強力にされたという経緯だと思うんです。

ただ、やはり9・11の影響は、イスラム教徒の中でも大きいんですね。あれは、よく言われる劇場型犯罪の最たるもので、あの死に方がかっこいいと思う若者が出てきたのは、イスラム教徒の側でも否定できない事実だと思います。この十年間で、自爆テロはかっこいいし、天国に直行できると信じ込む若者たちが出てきた。さらにはそれを積極的に打ち出すことで、自爆テロ志願者をリクルートしようとする人間たちもいる。

イスラム教徒にとって理想の生き方をしたはずのムハンマドは殉教などしていませんから、本来はおかしな話なんですが。

日本でもイスラム教徒が増えるのか

池上　ところで、日本にイスラム教徒は今どれくらいいるんでしょうか。

飯塚　十万人ほどと言われていますが、正確にはわかりません。そのうち日本人は一万人程度といわれますが、それも「何となく、そんなふうに言われている」という数字です。男性はある程度把握できますが、たとえばかつて出稼ぎに来ていたイラン人と結婚した女性がイスラム教徒になっているのかどうかというのはよくわからない。ですから推測の域を出ないんです。

池上　イスラム教は、日本人にとって、何らかの癒しなり、救いになるものでしょうか。

飯塚　もし信じられれば救いになるのは事実だろうと思います。ユダヤ教、キリスト教も含めて、同じ神様を信じているということから言えば、大体人類の半分、二人に一人ぐらいは信じているわけですね。

合理的と考えるか言い訳と考えるか微妙ですけれども、この世をつくって、この世を終わらせて、天国と地獄に人を振り分けるようなとんでもない力を持った神様が、自分のこの小さな脳味噌でわかるか、わかるわけがない、だからいると信じる。そうやって信じてしまえば、ほかのことは全部うまくいくということにはなりますね。

イスラムには、神の命令に従っていると、この世で自分たちの国が栄えるという思想もあります。こちらの方はアメリカに軍事的に負けたりしていささかあやしくなっていますが、少なくともこの世で良い行いをしていれば来世は天国に行ける、ということは、イスラム教徒の九九％が信じています。いつかこの世が終わって、最後の審判があって天国と地獄に振り分けられる。悪いことをすればいったんは地獄に落とされるけれども、最終的には、ほかの神様を拝まない限り最後は神が許して天国へ入れてくれるということになっていますので、イスラム教徒である限りみんな最後は天国に行く。それで家族みんなで暮らせる。身内や自分が死んでも、いずれまた会える。キリスト教のお葬式でも、最後に「また会う日まで」みたいな歌を歌いますけれども、あれと同じところで救われている部分もあるんじゃないかと思います。

池上　今、世界ではイスラム教徒が増えていて十五億人以上いるともされます。この勢いは、どうしてなんでしょうか。

飯塚　今は、イスラム教徒が子だくさんで増えているというのがいちばん大きいです。けれども、日本でもおそらく、入信者、改宗者は増えていくだろうと思います。

その理由の一つは、イスラム教はいわば「マニュアル型宗教」で、わかりやすいということです。キリスト教は本当にわかろうとするとわかりにくい宗教ですね。たとえば父と子と聖霊の一体性というのは非常に理解しにくい。それを信仰の力で信じるんだというのがキリスト教ですけれども、イスラムの場合は、そういう難しさはない。神は一つであって、ムハンマドはただの人間であって、神の命令を我々は保存している。それに従って生きていけばいい。アメリカなどで入信する場合は、もともとキリスト教徒という人が多いと思いますけれども、同じ神である上に、わかりやすいということで、イスラム教の方が合うという人が改宗するんだと思います。日本人でイスラム教徒になる人は、年配の人は少なく、若年層が多い。やはりまず、わかりやすいからだろうと思います。

もう一つは、日本でも外国でも個々のイスラム教徒はけっこうやさしいんですよ。何かあればすぐにみんな寄ってきてああだこうだとお節介なぐらいで、それが今どっちかと言えば孤独に暮らすことの多い日本の若者にとっては魅力的で、入信しているというほうが多い気がしますね。池袋や北関東など中東・南アジアの出身者が多い地域には、ビルの二階などに小さなモスクができていて、日本人との接点は増えつつありますから。

池上 なるほど。イスラム教徒は、中東だけでなく、インドネシアなどアジア諸国にもたくさんいます。もし日本が移民を受け入れて行くようになれば、そうした国から大量のイスラム教徒がやってくるかもしれません。そうした時代に備えるためにも、イスラム教についての最低限の知識を身につけておく必要がありそうですね。

■インタビューを終えて

イスラム教は、国際ニュースに頻繁に登場するようになったのに、私たちには、なかなか理解しにくい宗教ではないでしょうか。かつての私にとっても、そのような存在でした。いったん理解すると、とてもわかりやすい宗教のような気がするのですが。

ユダヤ教もキリスト教もイスラム教も、「唯一絶対の神がこの世をおつくりになった」という創造神が存在します。なので「同じ神様を信じている」ということになります。

世界の終わりが来たときに、人間は神によって最後の審判を受け、天国に行くか地獄に落ちるか決められる。だからこそ、人間は神の教えを守り、正しく生きなければいけないと考える。つまりは、現世を生きる道筋を指し示してくれる宗教でもあります。神様の教えは、『コーラン』にすべて書かれている。これを読み、ひたすら神を思え。これができれば、確かに心の平安を得ることができるでしょう。

イスラム世界に、とても性格の明るい人たちが多いように感じるのは、私だけの勝手な印象でしょうか。心の平安が得られれば、自然と性格も明るくなるでしょう。

それでも、同じ神様を信じているはずなのに、宗教間の対立は収まらない。人間の情けないところではあります。

第8章 「いい死に方」ってなんですか？

宗教と脳がわかる！

養老孟司（解剖学者）

1937年、神奈川県生まれ。東京大学大学院医学系研究科博士課程修了。『バカの壁』（新潮新書）『異見あり』（文春文庫）など著書多数。

池上　各宗教の専門家にお話を伺ってきましたが、締めくくりとして養老さんにお話をお聞きします。日本人はよく無宗教だと言われます。それは科学をより信頼しているからでしょうか。それとも別の理由からだと思われますか。

養老　以前に読売新聞が「あなたは、何か宗教を信じていますか」というアンケートをとったところ、七割の人が無宗教にマルをつけた。その結果に対して、記者が私のところにコメントをとりに来たので、こう答えたんです。「無宗教の『無』は、仏教の『無』ですよ」と。

池上　諸行無常の「無」ですか。

養老　ええ。「空」とも言いますね。『般若心経』という二百六十二文字の短いお経の中に、「無」や「空」という文字が一割も使われている。宗教というのは、本当に身体の中に入ってしまうと無意識になってしまう。日本人には、仏教的な「無」が刷り込まれているのだと思います。でも欧米で無宗教と言えば、それは「アンチ・キリスト」と見なされる。さらに、イスラム圏で無宗教といったら、「反宗教」ということであって、神に反抗しているということになるでしょう。

池上　おそらく無政府主義者みたいに思われたりしますよね。周囲の反応は相当きついでしょう。アッラーを否定するわけですからね。

養老　あちらでは過激派と同じ扱いです。しかし日本人が無宗教というのは、それとは違う。もう少し曖昧で、人智を超えたものを認めないわけじゃないんだけど、それは一神教的な神とは違うよなぁ、という感じで、消去法で大半の人が無宗教と答えているんじゃないでしょうか。

それに関連して面白いと思うのは、ウェールズ系日本人と称している作家のC・W・ニコルさんが、「日本に来ていちばんよかったことの一つは、宗教からの自由だ」と言っていることです。

池上　なるほど。「信教の自由」ではなく、「宗教からの」自由ですね。

養老　キリスト教圏だと、やっぱり日曜日に教会に行かないと後ろめたいとか、いろいろ息苦しいところがある。日本は他人の信仰がどうだろうと気にしない、寛容なところがあります。

「人間の致死率は一〇〇%」

池上　最近、「葬式は要らない」という風潮が出てきました。団塊世代がいよいよ親を見送り、自分たちの時はどうしたらいいか……と考える年代になったからかもしれません。

養老　わかります。あの連中はそう言うだろうな、って若い頃からわかっていました（笑）。

池上　ああ、養老さんは、学園紛争の頃に東京大学で彼らに吊るし上げられた経験をお持ちなんですか。

養老　私は助手でしたから、学生と教授たちの間で板挟みになっていただけですが。ただ彼らが何でも理屈を振りかざすのは、困ったもんだと思っていました。「葬式が要らない」というのは、「大学の権威を解体する」と同じでしょう。彼らは理屈で説明がつかないことは、なんでも嫌いなんです。考え方そのものが「意識中心主義」ですから、すべてのことは意識化できる、というのが暗黙の前提だった。別の言い方をすれば、なんでも言葉にできると。学者なんかは今でも、かなりの人がそう思っているんじゃないですか。それが学問の精髄だと。

ただ脳のことをちょっと調べてみればわかるけれど、意識なんて人間のほんの一部ですから。こんなあてにならないものはない。すぐなくなるじゃないかって私は言うんですけど。金槌で頭ぶん殴ったって消えちゃいますしね（笑）。

その程度のものが世界の中心を占めるというのは、やっぱり一種の偏見、錯覚ですよ。やはり日本が都市化して、無意識的なものが隅に追いやられてしまったからですよ。自然は人間の意識ではコントロールできません。死も自然現象の一つですから、コントロールできるはずがない。

池上　なるほど。核家族化と共に老人と若い人が一緒に住むこともなくなり、しかもほとんどの人が病院で亡くなるようになりました。都会で暮らしていると、死を間近に見る機会がありませんからね。

養老　見えなくなっているというより、日常生活に死は〝あってはならないもの〟になっている。でも、それは異常です。なにしろ人間の致死率は一〇〇％なんですから。それなのに、年をとってから急に、「自分が死んだ時どうする」って慌てる。私なんか、解剖で年がら年中死体を相手にしてきましたからね。「いずれ俺もこうなる」って嫌でもわかりました。

池上　若い時から死について考える習慣を持った方がいい、ということでしょうか。

養老　私の場合は、自分が死んだ後のことまで知ったこっちゃない、と思ってますから、あまり参考にならないかもしれません（笑）。

だいたい葬式だって、自分のためにやるわけじゃないでしょう。後に残された人たちのためです。自分の葬儀のやり方をあれこれ遺言する人が増えてきているけれど、私はあまり好みません。葬儀は密葬で済ませて、後日にホテルなどで「偲《しの》ぶ会」をやるケースも多いけれど、単なる二度手間じゃないかと思ってしまいます。

池上　ホテル業界では、その「偲ぶ会」のおかげで宴会場の予約が殺到しているらしいです。でも、葬式は誰でも参列できますが、「偲ぶ会」となると招待状を配って参列者を限定してしまいますよね。

養老　葬式という慣習が長年続いてきたのは、それなりの知恵が働いてきたからです。そこを安直に考え過ぎているのではないでしょうか。ただ恐らくは、ちゃんとした坊さんを呼んで葬儀をやるように戻っていくと思いますよ。

池上　葬式不要論の背景には、高額のお布施や戒名料への不信感もあると思いますが……。

養老 そこは金もうけ主義のお坊さんにも責任がありますね。ただ、嫌だったら払わなきゃいいだけなんですよ。お布施の額なんて、決まりはないんだから、安けりゃお坊さんの機嫌が悪くなる、高けりゃ喜ぶだけ。一方で一生懸命お経をあげてくれたんだからある程度払っておこう、という人がいてもいい。適当でいいのに、その適当がわからなくなってしまった。何でも決めてくれないと安心できない、「マニュアル思考」のせいではないでしょうか。

池上 だからスーパーのイオンが料金一覧を示してくれると、ホッとする（笑）。

養老 戒名をつけるかどうか、って話もありますが、なんで死んだら別の名前が必要かといえば、生きている人間たちの仲間から出て行くからです。それは極端な言い方をすれば、死者を仲間外れにして、差別しているんですよ。

葬式で塩を撒くでしょう。あれは死人が不浄な、穢れたものだと思っているからですよ。でも誰も文句を言わない。生きているのと死んでいるのとでは、ガラッと掌を返すんです。日本は、生きている人間の方が中心なんですよ。ある意味で非常に合理的ですよね。死んでいる人だけが意見を言えないわけだから。遺言も、日本ではあまり習慣がなかったでしょう。

別の言い方をすれば、「世間」の掟が強い。だから、葬式をするかどうか気にするのも、お布施を惜しんでケチと思われないかと心配したりするのも、みんな世間の目を気にしているからでしょう。

私なんかどこの組織にも属していませんから、おおかた世間から外れています。ある時、山口県の曹洞宗のお坊さんたちから、新しい葬式のやり方を試したいが、仏がいないと気合いが入らない、というので死体役をやったことがありますよ。だから、もう葬式もちゃんと済んでいる（笑）。

池上　まさに生前葬ですね。

養老　その時、立派な戒名もくれた。けれど別なお坊さんにも戒名をつけてもらったことがあるので、戒名が二つになってしまった。余った方は、うちの猫が雄猫だから、あいつにやろうかと思ってます（笑）。

「死んだらおしめえよ」

池上　それにしても、墓や葬儀、遺言に関する本や雑誌がこれだけたくさん出ているのはなぜだとお考えですか。

養老 葬式を自分の思い通りにしたいなんて、私にはわからないですね。生き残る人間が考えればいいことだと思いますよ。結局は「世間」の都合ですよ。そこを日本の文化は実に上手に残してあるし、今後も社会的な構造として残すしかないと思いますよ。

宗教を必要としなかった時代はないんじゃないでしょうか。今回の地震でもわかる通り、死は究極の不条理です。その受け容れ方を、宗教は担ってきた。「安心立命」とよく言いますけれど、年をとると必ず宗教に戻っていく。

ただ世の中すべてが意識中心主義になってしまった現代では、死が人間にはどうにも左右できない自然現象だということが忘れられてしまう。お坊さんも現代人になってしまい、「死」にうまく対応できなくなってしまったんじゃないですかね。

池上 養老さんの『唯脳論』（ちくま学芸文庫）や『死の壁』（新潮新書）といった本は、お坊さんの中でもよく読まれているそうですね。

養老 ええ、不思議なことにお坊さんに僕が説教している（笑）。それはお坊さんがサボっているだけのことだと思っているんですよ。本来は彼らがもっと一般向けの本を書くべきです。

数年前、タクシーに乗ったら、運転手さんが同僚の葬式に行った時の話をする。お経が終わり、お坊さんがそばを通ったんで、その運転手さんはこう聞いたそうです。「和尚、人って死んだらどうなるんでしょうか」。するとお坊さんがキッとにらんで、「死んだらおしめえよ」と言い返したと(笑)。あれはできたお坊さんだと大笑いしていました。

日本の庶民は、「死んだらおしめえよ」とみんなわかってたんじゃないですか。そう考えると、いろんな問題が解けるでしょう。なんで医療にこれほどお金をかけるのか。やっぱり本音じゃ、死んだらおしめえよ、と思っているからですよ。

池上 本心から「死んだら極楽浄土に行ける」と思っているなら、最後にあれだけの医療費をかける必要なんかないわけですね。

養老 それだけのお金があれば、宇治の平等院鳳凰堂みたいなものをつくって、極楽往生を願ってもいいようなものですが、そんな人は全然いませんものね。ときどき金が余って大仏つくっている人はいますけどね(笑)。結局、死をあんまり難しく考え出したらキリがないんです。

「死ぬ」社会と「先祖になる」社会

池上 キリスト教やイスラム教では、死んだら「最後の審判」があり、天国と地獄に振り分けられる、という死生観ですね。

養老 信じたい人は勝手だと思いますけれど、日本人にはあんまり合わないいんじゃないでしょうか。

「最後の審判」がある、っていうけれど、そのとき墓から蘇ってくる「私」って誰なんだろう。僕はそれが昔から疑問でした。生きている時の行いが善だったか悪だったか決められるっていうからには、その人の一生を通した総体としての「自分」みたいなものが前提になっている。それが一神教の文化です。

でも仏教は「無我」というように、「私なんて無い」という立場です。人間は日々変化していき、今ある姿はかりそめのものに過ぎない。さらにいえば、「生きている」ということだってかりそめでしょう。

その世界に一神教みたいな自己を入れても、折り合うわけがない。これは、いちばん根本的な違いじゃないかと思います。最近では、「自分探し」という言葉もありましたが、それは自分があるということが前提です。そんなものがあるのかっていうことですよ。それが職業観とかありとあらゆることに影響を与えています。仕事は自分のためになっちゃったし、個性を伸ばすのが最大の価値になって、あんたは他人と違っていて、その生まれつき違っているところこそが存在意義だ、みたいになった。現在、世界の八割の人たちが一神教を信じているということが非常に重要な問題なんです。

一神教が行き渡らなかった地域ではむしろ、生はかりそめのものという考えの方が普通です。ミャンマーやマダガスカルでは、「死ぬ」というボキャブラリーがありませんからね。

池上　では、何と言うんでしょうか。

養老　「先祖になる」と言うんです。自分もいずれはその列に加わる、というだけなんです。動物や魚が死んでも、やっぱり「先祖になる」。

池上　それは神道の考え方とも近いかもしれませんね。人もキツネも「神様」になる、という。ラオスのあたりでは、ピーって言いますよね。精霊のことです。

一神教が「自分探し」をうむ

養老　今は、一神教の世界の総合的な「自我」というものを概念として抱え込んで、若い人が苦労しているなと思いますね。そのおかげで、職業観は非常に変わったと思うんですね。これは日本の根幹を揺るがしたという気がします。要するに、職業は自分のためのものになった。本来は、世間を成り立たせるためのものだったわけですが。

池上 今の学生は、就職活動がとても厳しく、本当に目の色を変えていますよね。まさに自分のキャリアデザインのための職業探しに躍起になっているわけです。どうしたらいいんでしょうね。

養老 そんな余計なことは考えるな、ということでしかないですね。ただ、宗教は社会制度の一部ですからね。だから、社会が変わるのに伴って、ほんとうは宗教も変わらなきゃいけない。ひょっとすると日本も一神教にならざるを得ないんじゃないかとも思いますよ。ここまで極端になってくるとね。

池上 日本の社会そのものが一神教的になりつつある。

養老 一神教は、都市の宗教です。自然から切り離され、人間しかいない人工世界ですから、死生観だって人間中心主義になる。日本は世界から見れば「田舎」に属していて、一神教が普及しなかった。私はそっちの考え方の方が、おおらかで好きですけれど。

池上 しかし養老さんは、中学・高校とカトリック系の栄光学園に通い、キリスト教教育を受けられたんでしたね。

養老　べつに信者じゃありませんし、たまたま行った学校がキリスト教だっただけなんですが。「宗教の時間」というのがあって、カトリックの教義の基本的なことを割ときちんと教わりました。今になってみると、教養としては非常に役に立ったと思いますね。

池上　ただ当時は反発もあった？

養老　ええ。でも古い宗教って、反発すればするほど引き込まれる構造になっているんですね。おかしな点を見つけてやろうとすれば、おのずとその宗教を深く知ることになってしまう。ただ年をとるほど、一神教的なものが苦手になってきた。こんなことを言うと怒られてしまいますけれど、カトリックはまだしも融通無碍なところがありますが、プロテスタントは厳格で窮屈です。今では禅寺の門前に住んで、習わぬ経を聞いている（笑）。

池上　科学者である養老さんにとって、宗教はどのような存在ですか。科学と対立するものなのでしょうか。

養老　西洋の場合は、宗教と科学は対立するというより、表裏一体でしょうね。ご存じのように科学は教会と対立するわけですから。対立するということは、実は同じだということです。それが妥協点に達するわけですよ。

池上　要するに、それぞれが住み分けをするという形での妥協ですね。

養老　そうです。天動説を否定したガリレオ以降、ずっとそれできたと思うんです。

池上　いわゆる西欧的な近代合理主義ですか。

養老　そうです。デカルトが典型ですね。人間についても心身二元論になって、心のほうは宗教の領域、身体のほうは科学の領域と切り分けるようになった。

ただ私に言わせれば、両方とも同じ穴のムジナです。進化論を認めるかどうかで、宗教と科学は対立する、とか言います。でも、神様が世界を作って、世界が終わるときには「最後の審判」がある、という話と、アメーバから進化していって人間まで至った、という話は、論理構成がそっくりなんです。どち

Q ルネ・デカルト

デカルトは「近代哲学の父」と呼ばれる、十七世紀に活躍した哲学者です。当時の哲学は、自然科学や数学も含んでいましたから、デカルトの業績は今日でいえば、数学、天文学、物理学、脳科学など広い範囲に及びます。

有名なのは、「我思う、ゆえに我あり」という言葉です。知覚される全てを疑っても、その疑っている精神が存在することは疑いようがないということを起点として、デカルトは新しい哲学の方法を述べました。それが理性によって真理を探究するという近代哲学の出発点となり、身体を含めて世界を機械とみなす世界観の確立ともなりました。この世界観、身体観の上で、ヨーロッパの近代科学は展開したのです。

らも始まりがあって、一直線に進んでいく、ということですからね。

池上　欧米の科学者たちは、客観的な理論や実験結果があるとする一方で、神様の世界を同時に信じているわけですか。

養老　だって、神は全知全能ですべてのことを知っているわけですから、そこでは問題は起こらないんですよ。むしろ宗教と科学の切り分けで問題が起こっているんです。生殖医療などが典型ですが、社会組織の問題で、これはどちらの領分だという話になる。今でも倫理問題になるとローマ法王が出てくるでしょう。

池上　日本の場合は状況が違うのでしょうか。

養老　科学は明治以降に入ってきたわけですから。日本では科学もそこまで根付いていない代わり、宗教も絶対的な正義を保証してくれるわけではない。

池上　日本でスピリチュアルブームが周期的に起きるのも、その表れでしょうか。

養老　宗教に対する日本人の一種の「軽さ」を示しているんじゃないでしょうか。一神教的なプレッシャーがないのが日本のいいところでもあります。

ただ基準があいまいな分、極端に振れやすいところがあります。理系の若者たちが、オウム真理教に一斉に走ったのも象徴的です。

メディアが作りだす「原理主義」

池上 世界全体でみると、キリスト教とイスラム教の対立といった、「文明の衝突」が言われます。再び宗教の時代に入ってきているのでしょうか。

養老 一神教同士はぶつかるようにできているんですよ。十字軍はまさにそうだし、ヨーロッパの中でもカトリックとプロテスタントの間で三十年戦争が起きています。当時のドイツの人口が半減した、っていうぐらいですから、ひどい話です。

日本でも戦国時代までは宗教が戦争の原因になりました。最後が織田信長の比叡山焼き討ちや、長島一向一揆との戦いでしょう。その教訓から、江戸幕府は宗教政策を非常に上手にやった。天海和尚を大僧正にして、全国の寺が庶民の宗門人別改帳を管理する寺請制度を導入した。お坊さんを戸籍係にしてしまうことで、世俗権力に取り入れてしまったんです。

池上 江戸幕府は仏教よりキリスト教を恐れていて、寺に登録させることで、隠れキリシタンを炙り出そうとした、とも言われますね。

養老 ええ、権力と結びついてしまったことで骨抜きにされ、仏教はダメになってしまった、と仏教側の人はよく言いますね。

池上　宗教が骨抜きにされたがゆえに、それ以降日本では過激な宗教運動が起きなくなった。C・W・ニコルさんの言う「宗教からの」自由は、そこで確立したのでしょうか。

養老　そう思います。江戸時代に禁教となったのは、キリスト教ばかりではありません。日蓮宗の不受不施派というのも禁止された。これは他宗信者からの布施を受けない、つまり他宗派を一切認めない原理主義です。宗教以上の権威を認めない立場ですから、幕府の権威を認めない。そうなると、キリスト教の神と一緒です。

そうした歴史的経緯があって、日本には宗教原理主義的なものは生まれにくかったのだと思います。ただ最近は、別の原理主義が出てきているのではないか、という気もします。

池上　どういうことでしょうか。

養老　「唯一客観的な現実」が存在するという信仰です。池上さんはNHK出身だから言いにくいんですが、NHKが自称する「客観報道」なんて、完全な宗教ですよ。唯一客観的な現実というのは、神様がいない限り成り立ちませんから。この世のあらゆる出来事を知っているのは、全知全能の神様だけでしょう。にもかかわらずメディアに流れる情報が唯一の現実だ、と思い込んでいる人が多い。これはかなり危険な兆候です。

テレビを見ているとつい錯覚してしまいますが、テレビカメラの映像は、カメラマン個人の視線に過ぎないんです。にもかかわらず、そこに一億三千万人共通の視線があるように思ってしまう。日本の場合、それが神の視点と同じになってしまっているんですよ。日本の社会が一神教的になりつつあることの反映かもしれません。

だから最近なにごとにつけやかましいでしょう。「環境を守ることが絶対の正義だ」とか言うのも、一種の原理主義ですよ。

池上　なるほど。反面で大メディアの言うことを一切信じない、という若者も増えてきていますね。

養老　自分の目や耳で確認したことを信じる、というなら健全でしょう。でも既存メディアの情報は嘘で、ネットの情報は真実、という二分法なら、同じ穴のムジナです。

池上　生まれたときからすでにネットがあった若い人たちのなかには、検索して出てこないものはもう存在しないみたいに思う人もいますね。

養老　まさしく言語にないものは存在しないという世界ですね。聖書の「始めに言《ことば》ありき」の世界。それは危ない世界だと思う。だから、一次産業従事者がどんどんいなくなるんです。でも日本には神道という非常に貴重な文化があって、天皇陛下が田植えや稲刈りで五穀豊穣を祈られています。

池上　神道では、自然というのは何が起こるかわからないから、神に祈りますね。しかし、これだけ農業がなくなって都市化してしまうと、やっぱり八百万の神が成り立たなくて、一神教のほうに行ってしまうということになるのでしょうか。

養老　ところが、日本の国土は六八％が森林ですからね。国土自体が語っている。国交省の河川局は徹底的に川を変えちゃってダムだらけにしてしまったけど、それでも山をみんな平らにして団地にしようとは言ってない。何かあるんですよ、そういう背後にはね。神社もまだたくさんある。

それが日本なんです。

Q 始《はじ》めに言《ことば》ありき

「ヨハネ福音書」の冒頭の文章です。さらに「言は神と共にあり、言は神なりき」と続きます。「創世記」には、神が世界を創造した一日目に「光あれ」と言われたと記されています。世界は神の「言」によって創られたというのです。

この「言」は、ギリシア哲学でいうロゴスと理解されました。ロゴスとは、世界の根源をなす叡智や理論のことです。「ヨハネ福音書」に記された「言」は、キリストのこととされ、三位一体説の成立に影響を与えました。イエスは父である神の「言」とみなされたのです。神の子の本質がロゴスということですから、神学には論理や言語によって神への理解を深める姿勢が生じます。それが西洋哲学の基本となりました。

だから、宗教は言葉では語れないと思うんですね。社会と同じで、一口で言えるものじゃない。

池上　人はどうして原理主義の落とし穴にはまってしまうのでしょうか。

養老　それは宗教がある理由と同じではないでしょうか。これが絶対に正しい、ということを置いておく方が、いちいち自分で判断するより面倒が少ない。それで、いつでも人間は原理主義を必要とするんでしょう。

私が「絶対の正義」をいつも胡散臭く思ってしまうのは、敗戦体験が抜きがたく影響しているのでしょうね。なにしろそれまで「鬼畜米英」「一億火の玉」と言っていたのが、一夜にしてパーになりましたからね。

死に方と生き方は同じ

池上　話は再び戻りますが、そうはいっても人間は弱いもので、自分の死が近づいてくると不安になる。それでもやっぱり「正しい死に方」なんてものはない、ということでしょうか？

養老　正しいか正しくないか、というのは別に無いでしょうが、どうしたら楽に考えられるか、というのはあるかもしれませんね。

池上 死は生理現象に過ぎず、死体は物質に過ぎない……と考えるのか、来世があると考えるのか……。

養老 どれでもいいでしょう。ただ一神教的な「一生涯を通じて変わらない私」があって、その行いを裁く「最後の審判」があるといった考え方は、われわれ日本人にはちょっと馴染まないんじゃないでしょうか。

死を考える、ということは、結局どう生きるか、ということにつながります。死に方と生き方は同じなんですよ。科学は再現可能な現象だけを対象にしますが、人生に日々起きる出来事はすべて二度とはおきない。われわれ人間は日々変化している。年をとれば髪が白くなり、顔には皺ができる。そんなことは、べつに難しい実験をしなくたってわかるでしょう。その先に、誰にも死が来る。

それが自然の理《ことわり》と考えるだけでも、だいぶ楽になるんじゃないでしょうか。だいたい私ぐらいの年になると、もうジタバタしたって仕方ありません。一心太助じゃないけれど、「さあ、殺せ」っていう心境ですよ。

人生八十年時代になり、考える時間が増えてしまったゆえの悩みとも言えます。昔の人は、そこまでの余裕がなかったかもしれませんよ。でも幸いなことに死んでしまえば、もうあれこれ悩む必要はありません（笑）。

池上 確かにそこまで突き抜けて考えると、逆に見えてくるものがあるかもしれませんね。ありがとうございました。

■インタビューを終えて

日本人の「無宗教」と欧米の「無宗教」とは異なるのだ、という養老さんの指摘は頷けます。欧米で「無宗教」といえば、それは「アンチ・キリスト」のことであり、イスラム圏で「無宗教」といったら「反宗教」になる。ところが、日本人の「無宗教」の「無」は、仏教の「無」であり、「空」でもある。日本人の体に宗教は沁み込んでいて、意識しないだけだというのです。これまで話を伺った皆さんが、日本人はけっして宗教心がないわけではないと強調されたことに相通じるものがあります。

人間の致死率は一〇〇％であるにもかかわらず、日常生活に死はあってはならないものになっている。それは異常だと養老さんは指摘します。「メメント・モリ（死を想え）」というわけです。

それにしても、養老さんの死生観は〝突き抜けて〟います。「死んだらおしめえよ」というわけですから。でも、凡人は悩みます。養老さんの回答は、次の通りです。「われわれ人間は日々変化している」「その先に、誰にも死が来る」「それが自然の理と考えるだけでも、だいぶ楽になるんじゃないでしょうか」「幸いなことに死んでしまえば、もうあれこれ悩む必要はありません」おっしゃる通りです。早く養老さんの境地に達したいものです。

おわりに

宗教は「よく死ぬ」ための予習

葬式のあり方を考え、自分の死を考える。団塊の世代が、それを考える年齢に達したので、注目を浴びるようになったのではないか。私の問いかけに対して、養老孟司さんは、団塊の世代の「意識中心主義」が問題だと、切って捨てました。

自然は人間の意識ではコントロールできない。死も自然現象なのだからコントロールできない。つまりは、考えても無駄だ、というわけです。

養老さんのように「悟り」を開いていれば、それでいいでしょうが、我々凡人には、そうはいきません。そんな私を見かねたのでしょう。養老さんは、こうも言われました。「死を考える、ということは、結局どう生きるか、ということにつながります。死に方と生き方は同じなんですよ」と。

そう、そうなのです。日々、死に向って歩き続ける私たち。いくら嫌でも、目的地は全員同じ。死、なのです。それならば、死を潔く迎えたい。どうすれば、そんな心境になれるのか。凡人は、なかなかそんな境地には立てない。そこで登場するのが、宗教です。私たちは、宗教の手を借りて、死を考え、死の準備をします。つまり宗教は、「よく死ぬ」ための予習なのです。

この本をお読みいただけばわかるように、世の中にはさまざまな宗教が存在します。そのごく一部しかご紹介できませんでしたが、仏教もキリスト教も、多数の派に分かれています。そこで、この本では、全体を概観するレベルに留めました。この本を読んで、興味や関心を覚えた方は、さらにその先に進んでください。宗教が「予習」だとすれば、この本は、予習への導入部分に当たる基礎講座です。

宗教各界の方々に話を伺う前、私は、日本人の宗教観を世界でも特異な存在だと思っていました。宗教の違いに無頓着で、寛容であるということ。それは、ユニークではありますが、世界からは不思議なものと見られます。本当のところは、どうなのか。インタビューで、私は、このことを何度も訊ねました。

その結果は、奇しくも皆さん同じでした。日本人は無宗教ではないのです。島田裕巳さんは、こう語ります。

「これだけ宗教が自然に根付いている国は、かえって珍しい」と。

釈徹宗さんは、こう述べます。

「（日本人は）その場の宗教性を感じる力がある。だから、無宗教を標榜しているからといって、宗教性が貧しいわけではなく、非常にアンテナの感度がいいんじゃないか」と。

山形孝夫さんは、近世の日本にキリスト教が入ってきたとき、民衆の崇拝を集めたのは、イエス・キリストの十字架ではなく聖母マリアだったと言います。「九州島原の女性たちのキリスト教への入信の動機に、貧困の故に子どもを間引かねばならない言葉にできない悲しみがあった」「その悲しみを受け止めてくれる存在として、聖母マリアの中に『悲母観音』をみたのではないでしょうか」

キリスト教の聖母マリアが、日本に入ると、「悲母観音」になってしまう。これが、日本人の宗教性なのでしょう。

さらに、飯塚正人さんは、日本人の若者がイスラム教に入信しているケースについて、次のように分析しています。

「日本でも外国でも個々のイスラム教徒はけっこうやさしいんですよ。何かあればすぐにみんな寄ってきてああだこうだとお節介なぐらいで、それが今どっちかと言えば孤独に暮らすことの多い日本の若者にとっては魅力的」だというのです。

とかく「無縁社会」と呼ばれるようになった日本社会。宗教が、無縁社会の中で絆の役割を果たす。こうなると、「よく死ぬ」ためでなく、まさに「よく生きる」ための導きの糸ともなりうるのが宗教です。

では、今後、日本社会の中で、宗教はどのような役割を果たしうるのか。

安蘇谷正彦さんは、「現代社会における神道の役割は、神道の理念から言ったら、地域社会のために奉仕する。あるいは国家のために尽力する。そういう精神をどうやって涵養するか、育成していくかが大きな課題」と述べています。

高橋卓志さんは、「六百数十万人が老の域に入ってきたら、国家の社会保障もうまくいくかどうかわからない。そのときに、寺がもっている潜在能力をしっかり発揮できたら、間違いなく社会は変わります」と展望を語ります。

宗教に救いを求め、人生の答えを求める。それにより、日本の宗教も変化する。宗教を知ることによって、世界も見えてくる。これが、宗教と私たちとの関係なのでしょう。

二〇一一年六月

ジャーナリスト　池上　彰

第二章～第八章は「池上彰の『試練を乗り越える信仰入門』」
（「文藝春秋」二〇一一年五月号掲載）を大幅に加筆修正したものです。
コラム・協力　田中聡
写真協力　共同通信社フォトセンター、文藝春秋写真室

池上　彰（いけがみ　あきら）

1950年、長野県生まれ。慶応義塾大学卒業後、73年NHK入局。報道記者として、松江放送局、呉通信部を経て東京の報道局社会部へ。警視庁、気象庁、文部省、宮内庁などを担当。94年より11年間、NHK『週刊こどもニュース』でお父さん役をつとめ、わかりやすい解説が話題に。05年3月にNHKを退社し、フリージャーナリストとして多方面で活躍中。著書に『伝える力』（PHPビジネス新書）『知らないと恥をかく世界の大問題』（角川SSC新書）『大人も子どももわかるイスラム世界の「大疑問」』（講談社＋α新書）など多数。近刊に『世界を変えた10冊の本』（文藝春秋）。

文春新書

814

池上彰《いけがみあきら》の宗教《しゅうきょう》がわかれば世界《せかい》が見《み》える

2011年（平成23年）7月20日　第1刷発行

著　者　池上　彰
発行者　飯窪成幸
発行所　株式会社　文藝春秋

〒102-8008　東京都千代田区紀尾井町3-23
電話（03）3265-1211（代表）

印刷所　理想社
付物印刷　大日本印刷
製本所　大口製本

定価はカバーに表示してあります。
万一、落丁・乱丁の場合は小社製作部宛お送り下さい。
送料小社負担でお取替え致します。

ISBN978-4-16-660814-0

宿代田晴

近代日本をめぐる中国人の旅 811

とりわけ旅行関連業の発展および中国人の来日の状況を中心に、一八九〇年から一九四五年までの時期を取り上げる

Ⅰ・Ⅱ 774・782

叢書・総索引
著者別・項目別

本書評における一つの試み 518

中国人の「視察」および「観光」を通して、近代日本の発展過程と、国外への影響を探る

近代日本の姿 502

著者は、幕末から太平洋戦争に至るまでの日本の近代史の流れを、明治維新の前後、日清・日露戦争の前後、第一次世界大戦、満州事変、日中戦争の各時期に分けて考察する

アイヌ民族の近代史に関する一試論 224

編著『アイヌ民族の近代史の諸問題』の書評を通じて、民族としてのアイヌの歴史に関する一論。